やめられない・逃れられない…

勉強嫌いでも
ドハマりする

勉強麻薬

著 海外塾講師ヒラ

フォレスト出版

まえがき

あなたを「勉強依存」にする読むドラッグ

もう冒頭から素直に言っちゃいますね。

この本、ヤバイです。

聞いたことがない話がバンバン出てきます。本書を読みながら「何それ!?」とツッコミまくることでしょう。なかなか受け入れ難く、期待よりも抵抗感が先行する内容かもしれません。

でも、ぜひ飛び込んでください。少しでもやってみてください。本書を読みながら「これはできそうだ」と感じたことがあれば紙にメモし、日々の勉強で実践してみてください。

本書を読む↓できそうなことを紙にメモする↓やってみる

このシンプルな行動で、あなたにとって勉強はなくてはならない存在になってしまいます。

そう、本書のテーマはあなたを「勉強依存」にすることです。

かなり怪しく、うさんくさく感じると思いますが、本書を読み終えるころには、あなたは立派な「勉強依存」予備軍になれます。つまり、本書は「勉強依存」になるためのゲートウェイドラッグみたいな位置づけです。そして本書の内容を実践したなら、間違いなく「勉強依存」になってしまうでしょう。オススメは、読みながらその都度実践すること。そのほうが効率的に「勉強依存」になってしまいます。

依存とかドラッグなんて言葉を見て、「怖い」と感じたでしょうか。

でも、本を閉じるのは、もう少し待ってください。この本に書かれていることに、非合法ドラッグや危険ドラッグのように、「副作用」と呼べるようなものがないからです。せいぜい、人が変わって勉強に打ち込むあなたの姿を見て、まわりが心配するくらいでしょう。

そもそも本書を手に取ったということは、あなたは資格試験や受験など、止むに止まれず、勉強しなければいけない状況に追いつめられているのではないでしょうか。そして、そうした状況にいながら、本心では「つらい」「しんどい」「めんどくさい」からやりたくない……などと考えているかもしれません。アクセルとブレーキを間違えてコンビニに突っ込むクルマとは逆で、アクセルをベタ踏みしないといけない状況下で、ついブレーキを踏んでいるわけです。

しかし、そんなあなたの停滞した人生を劇的に変える可能性が本書にはあるのです。

なぜ、私が「勉強依存」というテーマでこの本を書こうと思ったのか？

これまで10年以上、約１０００人の生徒を直接指導し、そしてＹｏｕＴｕｂｅをメイン媒体としたＳＮＳ発信を３年以上してきて、勉強で結果を出すためには「勉強に依存すればいい」とわかったからです。

「勉強したくてもなかなかやる気が起こりません」「勉強しないといけないことはわかっているけどできません」「勉強があまり好きではありません」という生徒、視聴者の声をたくさんいただいてきました。

それに対して「楽しいから勉強しよう」「自分を成長させてくれるから勉強しよう」「人生を変えてくれるから勉強しよう」……と正論、というか上っ面の言葉でごまかそうとしても、脳は汗をかこうとしません。

「だったら、有無を言わさずに勉強に依存するように指導すればいいのではないか」

スマホに依存するように勉強に依存できるようになれば、おのずと結果も出てくるはずです。

しかし、「勉強に依存してください」と言われたら、抵抗感を抱く人は多いと思います。ほとんどの人は、「依存」という言葉に、あまり良い印象を持たないからです。タバコ依存やギャンブル依存、アルコール依存など「〇〇依存」と言われるものは、何かしらの治療が必要とされています。

だから、あなたは感じるはずです。

「勉強依存？　何それ？　なんか怪しいな」

わかります。

しかし、私はこれまでたくさんの生徒を勉強に依存させてきました。指導したほぼすべての生徒と言ってもいいでしょう。実際に生徒、保護者様からも「先生は勉強に依存させるのがうまいですね」と言われたことが数えきれないほどあります。そこには否定的なニュアンスはありません。当然のこと、勉強に依存している人ほど勉強で結果を出しているからです。

「勉強依存」とは、勉強することがあたりまえになり、勉強になんの抵抗感も持たなくなり、勉強時間を自分から勝手に増やすようになっていくブースト状態のことです。

こうなれば、あとは勉強の質や中身を濃く、深いものにしていけば加速度的に知識を吸収するようになります。そのうえで、私が勉強の考え方や勉強法を徹底的に伝授することで、勉強量と勉強の質を最高レベルにまで高めさせれば、依存前の自分では考えられなかった報酬を得ることができるのです。

- 難関資格試験、検定試験一発合格。
- 定期テスト5教科３００点台から４５０点超え。
- 偏差値60台から偏差値70超え。
- 学年順位１位獲得。

次はあなたの番です。

本書ではあなたの「あたりまえの基準」をどんどん変えていきます。これまでの勉強に対する「あたりまえ」を捨ててください。今までと同じような考え方では勉強に革命を起こすことはできません。

「絶対に勉強依存になってやる」と覚悟を決めて、一緒にジワリジワリと考え方を変えていきましょう。「勉強依存」という言葉への抵抗感が消えたとき、あなたの日常は大きく変わり、望んだ結果を手にしていることでしょう。

ここまでお読みいただいて、そうは言ってもまだ一抹の不安がある、いや、それどころか不安しかない、という人が大半ではないでしょうか。「騙(だま)されたと思って……」というのは、詐欺師のクロージングでの常套句(じょうとうく)なので使いたくはありません。だから、あえて私は次のように言いましょう。

「騙されるつもりで読んでください」

疑念、不安、不信用、怪訝(けげん)、心もとなさ……、なぜなら、そうしたマインドブロックがないほうが、結果的に効率的に勉強依存体質になれるからです。

本書の内容はすべて私や私の生徒、何万人もの視聴者の皆様が実践し、結果を出してきた方法ですのでご安心ください。決して個人的な思いつきで考えたノウハウではなく、再現性が担保された、多くの方々に当てはまる実践的かつ汎用性の高い内容になっていると断言できます。

なお、本書のメイン読者は「社会人」としています。

少なくない社会人の方々にも私のYouTubeチャンネルを見ていただいており、勉強に関する質問やご相談が多く、勉強法を書籍化してほしいというリクエストがたくさんあったからです。

ただ、先述したとおり、私が運営しているYouTubeチャンネルは小中高生向けの授業動画がメインという背景もありますし、現在も全国の小中高生約100名以上を1人で指導しています。したがって、事例も小中高生の生徒のものがたくさんありますので、日々勉強に励む小中高生、その保護者様にもぜひ読んでいただきたい内容となっています。

「本書を読破された方々の勉強人生を変える」という理念のもと、塾講師人生のすべてを懸けて本書を書き上げました。ぜひ、最後までおつき合いください。

勉強嫌いでもドハマりする勉強麻薬　もくじ

第2章 勉強しないと禁断症状が出る「密着」

＊「勉強麻薬」の4大成分

第3章 脳汁プシューでやみつきになる「達成」

＊「勉強麻薬」の4大成分

第4章 勉強は「環境」が9割 ＊「勉強麻薬」の4大成分

第5章 やめられない・逃れられない4大成分の使い方

第6章 人格までも改造してしまう進捗記録勉強法

第7章 もっと脳汁が出る依存を深める心理テクニック6選

第8章 勉強ジャンキーたちのヤバすぎる勉強法7選

ブックデザイン　山之口正和＋齋藤友貴（ＯＫＩＫＡＴＡ）
図版作成　富永三紗子
ＤＴＰ　フォレスト出版編集部

プロローグ

勉強沼に どっぷり浸かる「勉強依存」とは何か？

●勉強依存者と非勉強依存者

第1章では「勉強依存とはどのような状態を言うのか?」についてお伝えします。

これを知るだけでも今までの勉強の考え方が一変するはずです。ぜひ「自分自身」に置き換えながら読み進めてください。

まずは「勉強依存者」と「非勉強依存者」を比較するところから始めます。

それぞれの特徴をまとめてみましょう(表1)。当然、その特徴は正反対です。

あなたは、自分がどちらに偏っていると思いますか?

「勉強が嫌いか好きか」という問いに対して「どちらかというと勉強が好き」ということであれば「勉強依存者側」ですし、「どちらかというと勉強が嫌い」ということであれば「非勉強依存者側」です。

なぜ今、この比較をしているのか? それは「気づき↓疑問↓目的↓行動変化」を実現するためです。

そもそもこれまでの人生で、自分が勉強依存者側か非勉強依存者側か考えたことはな

表1　あなたはどちら側の傾向が強いですか？

勉強依存者	非勉強依存者
勉強が好き	勉強が嫌い
勉強に没頭できる	勉強に没頭できない
寝ても覚めても勉強している	短時間しか勉強できない
勉強に何の抵抗感も感じない	勉強に抵抗感を持っている
勉強することがあたりまえになっている	勉強することを先延ばしにする

いはずです。考えたこともないことを考えるから考え方を変えていけます。考えてください。そこから得た「気づき」があなたを変えていきます。

まずは、その気づきについて。自分が勉強依存者側なのか非勉強依存者側なのかについて考えることで「自分は日々勉強に没頭できていないな」「勉強するときに抵抗感を感じてしまっているな」と気づけます。

すると、次のように「疑問」に思うはずです。

「ではどうすれば勉強に没頭できるようになるのか？」

「勉強に抵抗感を感じないようにする

にはどうすればいいのか？」

ここでの疑問の形は「どうすれば」です。人は何か気づいたことや問題を抱えたときに、必ず「どうすれば」を考えます。

たとえば、勉強中にわからない問題が出てきたとき、「これはどうやって解くんだ？」と考えますよね。解き方を全力で探そうとします。人間誰しも問題に対する解決策や方法論、手法、ノウハウを求めてしまうものです。こういった「どうすれば」を求めれば求めるほど「目的」が明確になります。

> この問題がわからない……（気づき）→どう解くんだ？（疑問）→解き方を知るために（目的）、解説を熟読しよう（行動変化）

「解き方を知るため」が「目的」になり、それが「解説を熟読しよう」という「行動変化」につながります。

私は本書を通して、あなたにどんどん「気づき→疑問→目的→行動変化」の4ステップを実現していってほしいと思っています。最終的には、4ステップ目の「行動変化」

を目指すのです。

本書を読み終わった後、どれだけ行動が変わるのか？　貴重なお金とお時間を投資していただいているのです。一緒に変わっていきましょう。

●圧倒的な結果を出す人の共通点

勉強依存者と非勉強依存者を比較したところで、次は「勉強依存者側」の立場に立って「勉強依存」について考えます。

おそらく本書を読んでいる時点で、あなたは「どちらかというと非勉強依存者側」かと思います。ということは、「どうすれば勉強依存者になれるのだろうか？」という、「どうすれば」という疑問が当然出てきますよね。

この「どうすれば」を解決するためには、まずゴールである「勉強依存者とはどういう人なのか？」を知っておく必要があります。なぜなら、ゴールが明確でないのに、途中過程である「どうすれば」を説明することはできないからです。目的地が決まっていても、いないのに途中行程を決めることはできませんよね。「東京」という目的地が決まってもいないのに「東京までの行き方」は決められません。ゴールが「東京」だから「東京までの行き方」が決まります。

これと同じでまずは「ゴール」を決める。だから「過程」が決まります。

ではここでのゴール「勉強依存者とはどういう人なのか？」の答えはズバリ、「圧倒的な結果を出す人」です。「圧倒的な結果を出す人」と聞くと、天才を思い浮かべるかもしれません。どんな難問でも涼しい顔をして瞬時に解いたり、難しい言葉や単語を簡単に記憶できるような人です。

しかし私は、塾講師を10年以上してきましたが、そんな生徒に出会ったことはほとんどありません。

私はSNS発信を通じて何万人もの方々とつながってきましたが、その中で「この人は本当の天才なのでは？」と思わされるような人は何人かいました。

たとえば、「定期テストで5教科500点をとった方」「すべてのテストで学年1位をとった方」「偏差値80を超えた方」などです。彼らは「ほんまかいな」と思わされるような、漫画みたいな結果を出しています。私は職業的興味から「どんな勉強をしましたか？」と質問をするのですが、その答えは先の天才のイメージとはかけ離れたものでした。

「問題集を10周回しました」
「音読を100回以上しました」
「毎日12時間以上は勉強していました」
「定期テスト2カ月前から勉強していました」

とんでもない勉強量です。

こういったエピソードを何百件もいただき、私は結論づけました。

「圧倒的な結果を出す人は、圧倒的な勉強をしている」

複雑なことなど何一つありません。本質はいつだってものすごくシンプルです。圧倒的な結果を出したければ圧倒的な勉強をすればいい。

「あたりまえやん」と思われるかもしれませんが、これが真実です。

●あなたはどこまで勉強に懸けられるか

ではなぜ、「圧倒的な結果を出す人」は「圧倒的な勉強」ができるのか？

勉強に依存しているからです。

いいですか、よく聞いてください。

あなたがこれから勉強の結果を本気でひっくり返していきたいのであれば「誰よりも勉強している」と自信をもって言える状態を、当然のごとく実現しなければいけません。

「自分なりに勉強している」から「誰よりも勉強している」に基準を大きく変えてください。

私は「まえがき」で本書ではあなたの「あたりまえの基準」をどんどん変えていきます、とお伝えしましたが、「今のままでいいや」では大きな結果をつかむことはできません。根本に「誰よりも勉強しなければならない」という考え方がないと、圧倒的な結果を出すことも勉強に依存することもできません。

何かで結果を出すことは、結果を出すために必要な行動を積んでいるということ。そのためには前提として、まず「覚悟」が存在します。覚悟とは「これに懸けてやる」という考え方です。

あなたはどこまで勉強に懸けられますか？　覚悟を決めた人は強いです。ちょっとやそっとではブレません。日々、自分の限界と向き合い続け、自分に勝ち続けます。覚悟が決まっているからこそ積み上げられるのです（「覚悟」については、43ページ以下で深掘りします）。

プロローグから熱い話をバンバンぶちこみ、飛ばしまくっていることは理解しています。

でも根っこの考え方を、はじめにあなたと共有しておかないと、どれだけノウハウや方法論を並べたところで何の効果も発揮しません。「へ〜そうなんだ」で終わり、本書を閉じ、また同じような平坦で怠惰な日常を送るのがオチです。

これでは自分を変えることはできません。

私は本書を、自分の寿命を削って書いています。あなたも寿命を削って本書を読んでいます。「本を書く・読む」ということは「お互いの寿命を削る行為」です。であれば、そこに価値を見いださないといけません。考え方を変えないといけません。行動を変えていかないといけません。寿命を無駄にしてはいけません。

「誰よりも勉強してやる」

この考え方がないと、絶対に目標は達成できないと思ってください。

具体的な方法論は、第2章以降でお話ししていきます。ここまであなたに吸収してほしいのは、「勉強に対するマインドの土台、『誰よりも勉強してやる』という考え方を固めること」だけです。

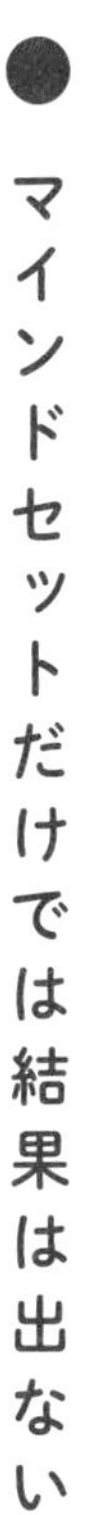

● マインドセットだけでは結果は出ない

「勉強するのなんてあたりまえ」

これが「勉強に依存している状態」と思っている人は多いはずです。

たしかに、そういうマインドにならないと結果なんて出せないとお伝えしましたが、これは勉強依存に至るための準備段階でしかありません。

「勉強があたりまえになれば、それだけですごいことじゃないか！」と思われる人は必ずいると思います。

でもよく考えてみてください。「あたりまえに勉強をしてはいるけど、そこまで勉強にこだわっているわけでもないし、特別な目標があるわけでもないし、結果が出ているわけでもない」では意味がありません。

「勉強するのなんてあたりまえ」は一見すごいように思われると思いますが、我流の勉強法でガムシャラにやっているだけでは結果につながらないケースがたくさんあるのです。ズバッと言ってしまうと、「結果の出ない勉強をし続けてしまう危険性がある」ということです。結果が出なければ、勉強人生を大きく変えていくことはできません。

結果を出すために必要な行動は大きく次の2つに分けられます。

①勉強をしなくてはならない状態にする。
②結果にこだわって勉強する。

それぞれを解説していきましょう。

●勉強をしなくてはならない状態にする
――結果を出すために必要なこと①

結果を出すための1つ目の行動「勉強をしなくてはならない状態にする」は、「勉強しないなんてありえない！　勉強しなければ！」という危機感に迫られた状態に自分を追い込むことです。

これほどの危機感を生み出すものは何でしょうか？　それは明確なゴールです。

たとえば、「1週間後に英単語100問テストがあり、全問正解しないと進級できない」という状況であれば、全力で覚えようとしますよね。「1週間で英単語100個覚える」というゴールがあるからです。危機感を覚えるゴールがあるかないかで、集中力も定着度もまったく違ったものになります。

「必死で英単語を100個覚えている」状況を想像してみてください。かじりつくように英単語帳の英単語を覚えまくっています。声に出したり、書いたり、暗記カードをめくったり……。テストまで何度も何度も繰り返します。

これは「勉強に依存している状態」です。「1週間で英単語100個覚える」という明確なゴールがあるからこそできる、本当に意味のある勉強です。

結果にこだわって勉強する
――結果を出すために必要なこと②

結果を出すための2つ目は「結果にこだわって勉強する」です。

「勉強するのなんてあたりまえ」を「勉強で結果を出すのなんてあたりまえ」に書き換

えてください。あたりまえの基準を「勉強している」から「結果を出す」に変えるのです。そうすることによって、「とんでもない考え方」が得られます。

「勉強で結果を出すのは当然なんだから勉強するのなんて当然」

全国の学校にはたくさんの「強豪校」が存在しますよね。野球の強豪校、サッカーの強豪校、テニスの強豪校、吹奏楽部の強豪校……。これら強豪校の全部員のゴールは何だと思いますか？

「勝つこと」です。

彼らは勝つために日々練習しています。「勝つ」というのは、すなわち「結果」です。結果を出すために血の滲むような練習を毎日毎日しているはずです。負けるために練習している部員など誰もいません。当然、次のようなマインドセットになっています。

「試合で勝つのは当然なんだから練習するのなんて当然」

つまり、結果を出すことがあたりまえになっていれば、それに伴い、練習することがあたりまえになります。練習しないと絶対に結果を出せないことがわかっているからです。

勉強もまったく同じです。勉強するのなんてあたりまえですが、そのために結果を出せるか否かが重要なのです。

この際、「がんばったから」とか「たくさん勉強したから」とか「努力したから」とか、キレイごとはやめにしましょう。いくら勉強したからといっても、結果を出せなければ意味がないのです。

強豪校の部員が「がんばったんだから結果なんて関係ないよね」なんて言うと思いますか？　言うわけがありません。なぜなら彼らは勝つために、結果を出すために練習しているからです。彼らは結果につながらない練習が無価値であることを理解しています。

強豪校の部員が結果を求め、結果を出すための練習をあたりまえにするように、あなたも結果を求め、結果を出すための勉強をあたりまえにするのです。

これからは、「①勉強をしなくてはならない状態にする」「②結果にこだわって勉強する」の2点を意識して取り組んでください。結果を出すために勉強しているのだから自分にとって勉強はなくてはならない。これが「勉強に依存した人」です。

ではどうすればこうした状態が実現できるのか？

次項、そして第1章から詳述する「4大成分」を取り入れるのです。

●勉強に依存する「勉強麻薬」の4大成分

ここからはいよいよ「勉強に依存する方法」の中身に入っていきます。
もったいぶらず、結論からいきます。
勉強に依存するためには、次の勉強麻薬の「4大成分」がどうしても必要になります。

①情熱
②密着
③達成
④環境

どれかが欠けてしまうと勉強に依存することが難しくなると思ってください。当然、勉強で結果を出すのも難しくなります。てんでんばらばらな4つに思えるかもしれませんが、実は、すべてが密接な関係を築いています。

たとえば、「プロ野球選手になりたい少年」がいたとします。この少年はプロ野球選手になるために毎日毎日、野球の練習をしています。友だちからの遊びの誘いも断り、一流コーチの技術面や身体面の指導のもと、プロ野球選手になることだけを考えて走り込みや素振り、投げ込みをします。

この少年にとって野球はなくてはならないものになっています。これは悪いことでしょうか？　そんなことはないですよね。プロ野球選手になるために野球に依存している。悪い印象はないはずです。実はこの「野球少年の例」は、依存を引き起こす4大成分を説明しています（図1）。

①**情熱**：野球少年の「プロ野球選手になりたい」と思う強い気持ち。
②**密着**：常にバットとグローブを持ち歩く毎日。
③**達成**：練習により、できたことがどんどん増えていく手応え。
④**環境**：自分の練習場所が完全に確立されている状態。

このように4大成分がすべて満たせているからこそ少年は野球に依存できているので

図1 「勉強麻薬」の4大成分

す。ただし、もしどれか1つでも欠ければ依存することはかなり難しくなります。

少年の「情熱」がゼロになればそもそも練習しようとしません。

バットとグローブがない、「密着」していない状態だとまず練習できません。

練習によりできたことが増えないと「達成」が得られないので、どんどんやる気が下がっていきます。これは「情熱」が薄れていくとも言えます。

練習場所やコーチのような「環境」がないと野球の練習ができません。

つまり、依存するためには情熱、密着、達成、環境の4つが必要になります。どれか1つではなく、すべてです。すべてが必要なので4つで1セットです。だからこそ、すべてがつながっているのです。

以上が「勉強依存」を引き起こす勉強麻薬の4大成分です。

第1章〜第4章では、これら4大成分について、それぞれじっくり解説していきます。

これらを、あなたの日々の勉強に組み込んでいけば間違いなくこれからの勉強が変わっていきます。そして、資格試験のスコア、偏差値、模試などの点数を上げられます。結果を変えられるのです。

第1章

たぎる「情熱」がすべての原動力

*「勉強麻薬」の4大成分

●理想を考えることが「情熱」の原点

「勉強麻薬」の4大成分の1つ目は「情熱」です。4大成分の中でも最も重要な要素です。なぜなら、情熱がない状態ではそもそも勉強できないからです。

これまで何千件と次のようなご質問をいただいてきました。

「勉強のやる気が出ません。どうすればいいですか?」

こういった質問をする人は勉強に依存していると思いますか? まずしていませんよね。当然ではありますが、「やる気がない」という状態では、勉強に依存することはできません。保護者様からもよく質問を受けます。

「ウチの子、まったく勉強しないのですが、どうすればいいですか?」

「ウチの子」も勉強に依存しているとは言えないですよね。やる気がない、すべきことをしない本質的な理由は「情熱がないから」です。自分の中に燃え上がるような気持ちがないのです。

あなたが情熱を捧げているものを1つあげてみてください。

当然、燃え上がるような気持ちがあるでしょうし、長時間没頭できるはずです。情熱があるからです。情熱があれば人は勝手に行動します。

では、どうやって情熱を生み出すのか？

まずは自身の理想と現実を考えてください。理想とは、「○○になりたい」という目標です。現実とは、「今の状態」です。先の「やる気がない」人というのは、そもそも理想像をイメージしたことがないか、理想を立てても、自分がそこにたどり着くことをリアルに実感できないことが原因でしょう。勉強依存状態になれば、自分が考えている限界よりも、多くのものを吸収できます。したがって、理想を立てるときは、リミッターを解除してください。

情熱を生み出すためには、まず「○○になりたい」という理想が必要です。一度本書から目を離し、自分の「○○になりたい」を考えてみてください。あなたは勉強することでどうなりたいですか？

あなたはさまざまな想いがあって本書を読まれていると思います。何か達成したいことがあるはずです。それを今この瞬間、引っ張り出してください。自分の内側に眠る、次のようなりたい理想を呼び起こすのです。

「短期間で資格試験、検定試験に一発合格できる実力をつけたい」

「勉強法を習得し、資格試験の勉強を効率的に進めたい」

「バカにしてきたまわりを絶対に見返したい」

「第1志望校に合格したい」

もしかしたら「なりたい自分」について考える時間なんてほとんどとっていないかもしれません。でも、「○○になりたい」という自分の理想像を考えることほど重要なことはありません。なぜなら、それがあなたの情熱の原点だからです。

人は自分の理想に向かって行動する生き物です。理想も何もないのに行動する意味はないですからね。しかし、日々漫然と過ごしていると、「理想」について考える時間や「そもそも自分ってどうなりたいんだ?」ということを考えません。

これでは、「情熱」が生まれるはずがありません。情熱のある人は、常に理想を考えています。自分がどうなりたいのかを徹底的に考え続けているのです。理想の姿や景色を煮詰めに煮詰め、思考し続けています。

理想を考えることを放棄してはいけません。どんな理想でもいいのです。

「勉強で結果を出してモテたい」

「仕事合間の勉強で試験に一発合格したい」

「ものすごい点数をとってドヤ顔したい」

理想は自分だけのものです。自分の情熱が沸騰するものであれば何でもいいのです。理想について考えたときに「よし！　やるか！」となるものを1つでも用意してください。たった1つでいいのです。1つの理想のために勉強する。こうやって情熱に火がつきます。

私ははじめて出会った生徒に必ず聞きます。

「これからどうなりたいですか？」

自分の理想を考えてもらい、情熱を生み出してもらっています。私だけに情熱があって生徒には情熱がない、という状態では結果を出すことはできませんからね。情熱は自分の内側から生み出すものです。そのためには理想を考え続けることです。

●「理想」と「現実」の差をポジティブに考える

さて、「理想」を考えれば同時に出てくるものがあります。

「現実」です。

理想と現実という2つの言葉は密接なつながりがあります。理想を掲げた瞬間に足元には現実があるのです。

これは「山登り」に似ています。山には必ず「麓(ふもと)」と「山頂」があります。麓から登り始め、山頂を目指すのが山登りですからね。「これから山登りをしよう」と山頂を目指した時点でまだ山頂には到着していません。足元を見れば麓です。麓が「現実」で、山頂が「理想」です。

あなたはこれから山頂という理想に向かって歩み出していきます。一歩一歩、理想に向かって山を登っていくのです。そのとき、足元には常に「現実」が存在します。このとき、どういう考え方をするかが重要です。

理想が「100」だとしたら、それに対して現実が「20」だったとします(要は、標高1000メートルの山を登るとき、現在標高200メートルの地点にいると考えてみてください)。「80」の差があります。このとき、「うわ、80もあるのか……。きついな」と考えるのか。それとも「80か。1つずつクリアしてまずは70まで持っていこう」と考えるのか。

理想と現実の「差」についてどう考えるかで、「あなたのこれから」は決まります。

差をネガティブに受け止め、現実を悲観的にとらえて差を埋めることをあきらめれば、理想に近づくことはできません。逆に差をポジティブに考え、差を埋めるために現実から一歩でも前に進めば、理想に近づくことができます。

よく、コップに半分入った水を見せて、「もう半分しかない」と考える人と、「まだ半分もある」と考える人とでは行動が大きく変わる、などと自己啓発の文脈で語られます。これとよく似ていると感じた人もいるのではないでしょうか。うさんくさいと思いますか？　そう思ったとしたら、まだ情熱が冷めている証拠です。情熱がある人は、ちょっとくらいうさんくさくても、自分の理想に近づけるならと、そんな口車に自ら乗ろうとします。ぜひ、もっと自分の理想を突き詰めて情熱を燃え上がらせてください。

こう言うと誤解を招くので一応フォローしておきますが、こと勉強に関していえば、「ポジティブにやる」か「そもそもやろうとしない」かの二択しかありません。やれば必ず成果が出るのですから、口車に乗らない手はないはずです。それを頭ではわかっていてもまだ行動が追いつかないという人は、やはりまだ情熱が足りないということになるので、ぜひ情熱を……（以下略）。

では、どうやって現実から前に進んでいけばいいのでしょうか？　そして、どう考えればば理想と現実の差を埋めていけるのでしょうか？

そのカギが「自問自答を繰り返すこと」です。

●自問自答で情熱の火を絶やさない

人は1日に数万回もの言葉を意識的、無意識的に自分に投げかけているようです。よく考えてみれば確かにそうですよね。「何も考えずに1日過ごしてください」といわれることのほうが難しいです。どうしても考えてしまうのが人間です。

あなたも今、そうではありませんか？　本書を読みながら自分にいろいろな言葉を投げかけていると思います。

「自分の理想って何だろうか？」「どうやって勉強に依存するのだろうか？」などと本書について考えている人もいれば、「ああ、このあと何しようかな？」「ちょっとお腹空いてきたな」「あ、アレしないといけなかった！」などと本書とは違うことを考えている人もいるでしょう。

そう、人は自問自答を欠かさないのです。毎日毎日、頭で無限にいろいろなことを考えています。この人間特有の機能を利用しましょう。

それが「自問自答」です。つまり、「自分に問うて、自分で答える」こと。

では「何」を問うのか？

自分の理想と現実です。次のようにして問います。

> 自分は勉強してどうなりたいのか？↓勉強して○○になりたい（理想）
> では今の自分はどうか？↓今の自分は△△だ（現実）

自問自答により、自分の理想と現実を日々確認するのです。一度理想を掲げたとしても、毎日意識的に確認しないと、そのうち理想を忘れます。理想を忘れてしまえば情熱は冷めます。

「ものすごくモチベーションが上がる動画を見たけど、次の日になったらウソのようにテンションが下がった」

このようなことってよくありますし、実際に経験された人も少なからずいるでしょう。

情熱は燃やし続けなければいけません。そのための方法が「自問自答」なのです。

たとえば、私の生徒で自分の志望校を紙に大きく書いて勉強机の目の前の壁に貼っていた子がいました。それを毎日毎日見続けて勉強するわけです。このように自分の情熱が冷めないように工夫することはとても大切です。そして、理想を見れば、セットで「今の自分はどうか？」と現実について考えるようにしてみます。

「自分の理想は何だ？　では今はどうか？」

これを毎日毎日意識的に問い続けるのです。この自問自答を繰り返すことで理想と現実の差を埋める方法がおぼろげながら見えてきます。

「理想は○○」「現実は△△」と答えた時点でそこには「差」があります。

「どうやって差を埋めようか？」

自問自答によりおのずと理想と現実の差を埋めるための方法を探そうとするのです。お気づきでしょうか？　ここまで来ればもう、「勉強することが前提」の思考になっています。理想と現実を考えられるので理想と現実を埋める結果を出すための勉強、結果を出すための思考ができるようになっています。

だから、毎日毎日、自問自答してください。日々頭の中で何を考えているかでこれからの行動は大きく変わります。

●勉強で人生を変える覚悟を持つ

前項で解説した自問自答をしていく過程で必要になるものがあります。「覚悟」です。何かに挑戦するとき、「覚悟を決めろ」なんてよく言われます。でもこれって、何をどうすればいいのか少しわかりづらいですよね。「理想を達成したい」「結果を出したい」と志した時点で、どうしても2つの覚悟が必要になります。それぞれ、ズバッと一言で言語化してみましょう。

1つは、「何かを得るためには何かを手放さないといけない」という覚悟。「これも得たい、あれも得たい」なんて虫がよすぎますし、二兎を追おうとしても、多くの場合失敗します。なぜならどれも中途半端になるからです。覚悟がある人は「手放す力」を持っています。勉強に関係のないものを手放し、勉強に全集中する覚悟があるのです。

●勉強にすべてを捧げるために親にスマホを預け、完全に手放した生徒。

- 勉強に関係のないアプリを全消去し、勉強時間を爆増させた生徒。
- 勉強に関係のない行為を紙に書き出し、それを全排除し、勉強時間にすべてを捧げた社会人。

私はこういう人を、これまで何人も見てきました。

2つ目は、「何が何でも壁を乗り越える」という覚悟です。

覚悟を決める対象物は、すべて自分にとっての「壁」です。

余裕で越えられる壁に対して覚悟を決める必要はありませんからね。自分が楽に解ける問題に対して「これは覚悟を決めないといけない。気合いを入れていこう」なんて思いません。覚悟を決める瞬間は自分にとって難易度が高いこと、壁となる課題や問題に直面するときです。

「力を入れないといけない」

「集中しないといけない」

「気合いを入れないといけない」

脳がこういう状態です。なぜこのような状態になっているのか?

「理想」があるからです。理想を掲げた時点であなたの目の前には「壁」が現れます。仮に理想までの壁が5個あったとします。1個、2個、3個、4個、5個と乗り越える。そうしてようやく理想にたどり着けます。

「すべての壁を乗り越える覚悟はありますか？」

「覚悟があるかないか？」はこういうことが問われているのです。あなたの目の前の壁は何ですか？

- 暗記
- テスト勉強
- 問題集
- 試験までのハードスケジュール
- 宿題や課題
- 仕事との両立

理想が高ければ高いほど、山が高ければ高いほど頂上に至るまでに多くの壁を乗り越えねばなりません。1つずつ乗り越えていきましょう。人間の力は計りしれません。壁を1つ乗り越えれば次の壁をよじ登ろうとさらに力を発揮します。1つ壁を乗り越えた経験が自信になるからです。自信があるので次の壁への足取りが軽くなります。壁への抵抗感も薄まっていきます。だから多少の挫折があったとしてもすぐ立ち上がり、頂上を目指しまた壁をよじ登ります。次の壁を見たいから。次の壁を乗り越えたいから。そして……、理想を手に入れたいから。

原動力は「情熱」です。情熱があるから「理想」を目指し、壁をよじ登っていくのです。情熱は自分を突き動かします。

一方、時には立ち止まることも大切です。ずっと情熱で脳が焼かれている状態では、さすがにしんどいですからね。でも、いつかはまた立ち上がって動き出さないといけません。そのときにもう一度、情熱を復活させるのです。

次の質問を自分に投げかけてみてください。

「勉強で人生を変える覚悟はあるか?」

即答で「はい」と言ってください。「いいえ」という選択肢を与えないことです。

迷いゼロで「はい」と言って立ち上がり、「よし、やってやる」と動き出すのです。

あなたの理想が本物ならできます。

情熱は他の誰でもない、あなたが自分で生み出すもの。自分と向き合い続けてください。情熱は理想の自分を実現させる相棒のような存在です。

第2章

勉強しないと禁断症状が出る「密着」

*「勉強麻薬」の4大成分

●量も質も大事だが、まずは量

ここからは、勉強内容に入り、一気に「勉強依存」に近づけていきます。

ぜひ実践する前提で読み進めてください。読みながら内容を実践することもできます。体を動かし、アウトプットしながら本を読むことほど身になる読み方はありませんからね。


はじめに言っておきます。この密着、習慣化させればとんでもないことになります。

「勉強麻薬」の第2の成分は「密着」です。

勉強時間が爆増します。なぜ「密着」を習慣化させれば勉強時間が爆増するのか？

ほぼ1日中勉強している状態が実現できるからです。極端な例を挙げると「呼吸」のように勉強するのです。あなたが今生きているのは呼吸しているからです。つまり、あなたと呼吸は密着しています。1日24時間呼吸し続けています。

これと同じように勉強に常に触れている密着状態が実現できればどうなると思いますか？　とんでもない時間になりますよね。だから、密着により勉強時間が爆増するのです。

「勉強で結果を出そう」と思えば、絶対必要になるのが「勉強時間」との密着です。私は毎年数多くの受験生を見ていますが、勉強時間が少ない受験生と勉強時間が多い受験生ははっきり伸びが違います。

もちろん個人差はありますが、大体これくらいしないと伸びないという勉強時間は決まっています。私が指導する受験生には週50時間くらいはあたりまえに勉強してもらいます。これくらい勉強しないと目標をクリアするレベルには持っていけないからです。中には、週60時間や週70時間勉強している受験生もいます。

何が言いたいのかというと、「伸びる勉強時間の目安は存在する」ということです。こういうと「勉強時間は重要ではない。重要なのは質だ」というお声をよくいただきます。

しかし、これは間違いです。「たくさん勉強するから質を上げていける」のです。まずは「量」、そして「質」です。たくさん量を積むからやり方を修正したり、うまくいく方法が確立されていきます。はじめから質を上げることはできません。どんなに優秀な人でも、まずは「量」を確保することから開始しています。

ステップ1　量を積み上げる。
ステップ2　やっていることを修正&改善する。
ステップ3　質を上げていく。

この3ステップで量と質を満たすことにより「伸び」は実現します。だからどちらかが重要ということではなく、どちらも重要。でも先に来るのは「量」。

ということで、勉強で伸びていくために、勉強依存になるために、まず必要になるのが「量」や「勉強時間」を増やしていくことなのです。

●「密着」させるための4ステップ

では具体的にどう勉強時間を増やしていけばいいのか？　疑問に思う人もいると思います。

勉強アイテムを密着させてください。勉強アイテムとは、次のように日々勉強するうえで絶対に欠かせない教材です。

- 英単語帳
- 教科書
- ノート
- 問題集
- 参考書
- 筆記用具

肌身離さず、密着レベルで持ち歩くのです。

ここからは、この密着を実現させるための方法を4ステップで解説していきます。すべて重要なステップになりますので1つ目から順番に実践していってください。

「密着」を実現する4ステップ

ステップ1　集める。
ステップ2　絞り込む。
ステップ3　常備する。
ステップ4　時間を倍にする。

私はこの4ステップを生徒に踏ませることで勉強に依存させ、勉強時間を爆発的に増やしてもらっています。

●触れているものを「集める」——ステップ1

まずは勉強アイテムを「集める」ことから始めます。

あなたが日々使っている問題集や参考書は何ですか？　いろいろあると思いますが、ここで重要なキーワードは「触れている」です。

次の質問に対する回答を考えてみてください。

人はなぜ依存するのか？

かなり抽象的な質問ですが、依存理由について考えることで依存の仕組みがわかり、自分が選んだ対象に依存していけるようになります。

答えの1つが、「触れているから」。

スマホに依存するのはなぜか？　スマホに触れているからです。

ゲームに依存するのはなぜか？　ゲームに触れているからです。

漫画に依存するのはなぜか？　漫画に触れているからです。

ただそれだけです。

これは物理的な「モノ」以外の「人」に対しても当てはまります。

「恋愛」であれば、「あの人のことしか考えられない」と「あの人」に心が支配されてしまうのは「あの人」に心理的、物理的に触れているからです。

このように人が依存するのは「触れているから」です。そうであれば、依存したいものを用意して意図的に触れ続ければいい。日々あなたが触れている勉強アイテムについて考えてみてください。そして、それらをすべて集め、実際、机に全部置いて可視化してください。そして、こう思ってください。

「これから密着させる」

●極限まで「絞り込む」――ステップ2

勉強アイテムを集め終われば、次は絞り込んでいきます。いくら勉強アイテムがあるからといっても全部持ち歩くことはできませんからね。たとえば、問題集が10冊集まった場合、それらを常に全部持ち歩くことはできません。極限まで絞り込みましょう。

そのためにも優先順位をつけてください。先ほど、日々触れる勉強アイテムを机に並べてもらいましたが、それらに順番をつけていくイメージです。一番重要なものは「1番目」にします。

優先順位の決め方ですが次の2つのキーワードを意識して決めてみてください。

「ハイリターン」と「緊急性」。

たとえば「英単語の暗記」はハイリターンです。大量に英単語を暗記すれば、読める英文も解ける問題も一気に増えるからです。緊急性とは、「テストが近いからこの単元のこの手の問題は絶対できるようにしておかないといけない」というもので、当然ながら優先順位は上がります。もちろん一番は「ハイリターンで緊急性の高いもの」です。どちらも満たした勉強アイテムであれば優先順位は上位に来ます。

勉強アイテムが5個あれば第1位~第5位を決めるイメージです。もし順位を決めるのが難しければ、「触れている時間」で判断してください。触れている時間の長いほうを優先し、順位づけしてもらえればOKです。優先順位がつけ終われば優先順位第1位の勉強アイテムだけ残します。他の勉強アイテムは他の場所に移します。これが「極限まで絞り込む」です。

勉強は「集める→絞り込む」の連続です。なぜなら、すべてを一気にするのは難しく、1つずつやっていくのが勉強の基本だからです。

英語の勉強であれば英単語、英熟語、英文法、英文解釈、長文読解、英作文、リスニング、スピーキングなど、実に多くのことをしなければなりません。これらすべてを一気にはできませんよね？　という話です。

まず、英単語。そして、英文法。次に英文解釈。もちろんできるのであれば英単語と英文法を同時にしてもらってもいいですが、できそうになければ「まず英単語」です。まず1つ、そしてまた次の1つ。すると、いつの間にか多くのことができるようになっています。

一方、優先順位をつけて勉強できない人はすべてが中途半端に終わります。受験生であれば、準備不足な状態で入試本番を迎えることになるでしょう。

受験には制限時間があります。制限時間内でできないことはすべきではないですし、本当にすべきことだけに絞って、合格点をもぎ取りにいくのが「受験」です。

私はこれまで、あれもこれも手を出した挙げ句、結局、何一つ完璧にならずに成績、偏差値が伸びない受験生を数多く見てきました。「集める→絞り込む」ができなかったのです。

同じ轍(てつ)を踏まないように、徹底的に絞り込んでください。絞り込んだものが完璧になれば、「完璧にする方法」が身をもってわかります。あとはその方法を横展開して他の勉強に応用していくだけです。スピードが爆発的に上がります。1つ完璧にしているので自信もついていきます。だから精神的負担も下がり、スムーズに進めていけます。

「何が一番重要か?」

この考え方を取り入れてください。

今、あなたにしてもらった「集める→絞り込む」はそのための練習でもあります。絞り込んだ勉強アイテムを1つ決め、目の前に置いてみてください。

これで準備が整いました。いよいよ勉強に入ります。

● 勉強アイテムを「常備する」——ステップ3

代表的な依存物である「スマホ」は、近くにないと気持ち悪いくらいの密着レベルで持ち歩いている人が多いと思います。同じことをしてください。つまり、スマホを密着させるように、先ほど決めた勉強アイテムを密着させるのです。

ポケットサイズのものであれば、ズボンや短パンのポケットに入れて、常に異物感とともにその勉強アイテムの存在を意識できます。上着やアウターのポケットであれば、スマホや財布と一緒に入れておくことで存在を常時意識できます。ポケットに入らない参考書のようなものだったら、カバンに入れるのではなく、あえて手で持ち歩いてもいいくらいです。そのほうが、絶対に存在を忘れないので密着度は爆上がりです。カバンに入れるのであれば、手を突っ込んで最初に触れられるところに収納しましょう。

それがないと不自然なくらい、仮になくしてしまったらスマホや財布と同じくらいにうろたえるくらいに、勉強アイテムに愛着が湧くレベルで密着させましょう。

振り返ってみてください。

あなたは日常過ごす中で何を密着させていますか？

触れる時間が長いものは何ですか？

その「触れているもの」はあなたにとっての依存物です。なくてはならない状態になっているはずです。

そこに勉強アイテムを追加するか、それらを別の何かに置き換えてください。

たとえば、密着レベルで「手帳」を持ち歩いているなら、手帳に追加して「英単語帳」を持ち歩く。「スマホ」が依存物になっていて手放したいなら、スマホを持ち歩くのをやめたり、電源を切ったりして、「まとめノート」に置き換える。

このように勉強アイテムを密着させようと思えば、追加するか、置き換えるかのどちらかをすればいいのです。

そして、どちらにも共通するたった1つの重要ポイントがあります。これができているのとできていないのとでは本当の意味で「密着」が完成しません。

それは、「密着は五感を使う」ということです。ここでのテーマは「勉強アイテムを常備する」ですが、この「常備する」のゴールは「五感を使う」です。

たとえば、「英単語帳を持ち歩いてはいるけれど全然見ていないな」では、意味がありませんよね。本当の意味で密着させるのであれば、五感を使わねばなりません。

- 見る（視覚）
- 言う（味覚）
- 嗅ぐ（嗅覚）
- 聞く（聴覚）
- 触れる（触覚）

ただ勉強において「嗅覚」はまず使いませんので、厳密に言うと、嗅覚を除いた「四感」です。ちなみに「味覚」は「味わう」ですが、勉強で味わうこともまずないので、ここでは「言う・話す」と解釈したいと思います。

ここまで「密着」についてお話ししてきましたので「触れる」の「触覚」はすでにクリアしました。あとは残り「視覚」「聴覚」「味覚」の三感をどこまで使えるかがカギになります。選んだ勉強アイテムを密着させたければ必ず三感から1つ、あるいは複数選んで使ってください。例をあげましょう。

- 英単語帳を見て（視覚）、声に出して覚える（味覚）。
- 自分が録音アプリに吹き込んだ暗記事項を聞く（聴覚）。
- 通学中にノートを何度も見て（視覚）、テストする。

このように密着させたものは意図的に見たり、聞いたり、つぶやいたりしないといけません。普段、密着させているものは使いますよね。アクセサリーやキーホルダーはそもそも密着させているだけで特に使用することがないので除外しますが、それ以外は使用するはずです。スマホ、手帳、カバン、筆記用具、財布、カギなど……。あげだしたらキリがないですが、密着させているものは使っているはずです。だから密着させた勉強関連のアイテムは徹底的に使いまくってください。

そのためにも、「どのタイミングで使うのか？」を決めておく必要があります。

先述の例を使うと次のようになります。

> 手帳＋英単語帳→手帳を見た後に英単語帳を見る
> スマホをまとめノートに置き換える→スマホを見ていた時間にまとめノートを見る

このように密着させた勉強アイテムの使用タイミングを決めておくことはとても重要です。そうしないと「そもそも使わない」ということになってしまいかねませんので。

あらためてまとめましょう。密着させたい勉強アイテムは「五感（四感）を使うこと」「使うタイミングを決めること」ができれば、「密着」は成功です。

ただ、まだ続きがあります。最後はさらに密着レベルを跳ね上げます。

●触れる「時間を倍にする」――ステップ4

ここまでしてきたことを整理します。

- 日頃から触れている勉強アイテムを集める。
- 極限まで絞り込む。絞り込んだ勉強アイテムを常備する。
- 使用タイミングを決めて、五感を使う。

「ここまでできれば十分じゃないか！」

たしかに、ここまでやっていない人からすれば、十分すぎるくらい十分な内容です。

でも、ゴールは「依存」です。「ちょっと密着させて使いました」では依存状態にまで至りません。どうしても必要なものがあるのです。

それは、「触れている時間を増やす」ことです。スマホやゲームに依存するのは触れている時間が長いからです。とんでもない時間を投入しているからハマり、沼（ぬま）り、依存していくのです。

だったら、同じことをすればいいのです。ずっと密着させ、触れ続けてください。以上です。具体的には、これまでの倍触れてください。

これまで英単語帳に30分触れていたなら60分触れてください。問題集に1時間触れていたなら2時間触れてください。このように触れる時間を倍にすれば、理論上は倍のスピードで依存していきます。

そのために重要なことは、「時間を明確にすること」です。「密着させたものに触れる時間がどれくらいか」を把握していないと、そもそも倍の時間を設定できませんからね。自分の現状を数値化しておいてください。密着させた勉強アイテムに触れている時間を計るクセをつけるのです。

「これ」と決めた勉強アイテムを取り出した瞬間に時間を計り始め、終わったところで止める。その時間が「あなたの現状」です。現状を「倍」にします。これで「触れる時間を倍にする」は完成です。

「倍はさすがにしんどい」と思う人も多いと思います。その場合は時間をかき集めてください。そのためには「スキマ時間を活用すること」です。

ただスキマ時間を活用して勉強していくためには、「どの時間が自分のスキマ時間なのか」を明確にしないといけません。これも、「あなたの現状」です。たとえば、スキマ時間には次のようなものが考えられます。

- 電車やバスの中での30分。
- 電車やバスが来るまでの10分。
- 昼休み中の20分。
- 夕食ができるまでの15分。
- お風呂が沸くまでの20分。
- 寝る前の15分。

こういったスキマ時間をかき集め、勉強アイテムに倍の時間触れるだけです。

もちろんスキマ時間にも限界はありますので、「倍のスキマ時間がありませんでした」という場合もあります。その場合は、仕方ありません。可能な限り、勉強アイテムに触れる時間を増やします。かき集めたスキマ時間の中で勉強アイテムを密着させ、触れる時間を倍にする。触れれば触れるほど勉強に依存していきます。

ちなみに、密着アイテムを手放すタイミングは九九レベルで即答できるくらい完璧になったタイミングです。見た瞬間に答えが弾き出せる状態になれば次の密着アイテムに変えてください。

もし密着アイテムを使用している最中に「他の教材を追加して密着させたい」となった場合は慎重に検討しましょう。その教材を追加して本当に両立できるのか？ どちらも完璧にできるのか？ 答えがイエスであれば密着させ、ノーであれば密着させない。

この基準でいきましょう。追加するか否かの判断基準はそれくらい厳しくすることが重要です。そうでないとどちらも中途半端に終わって共倒れになる可能性が高いですので。

密着させた勉強アイテムは人生を変えます。試験や受験は人生を変えるテストだからです。いつでもどこでも一緒。「人生を変えるツール」という考え方を持てば、より愛着を持って触れ続けられるはずです。

なお、この章では勉強時間、勉強アイテムとの密着について述べました。環境（場所、人間、言葉）との密着については113ページ以下でお伝えします。

第3章

脳汁プシューでやみつきになる「達成」

＊「勉強麻薬」の４大成分

●依存のスタートは「ハマる」

私は毎回の授業で必ずあることを得られるように生徒に指導しています。

「数学が嫌いでしたが、先生のおかげで好きになりました」

「勉強に自信が持てませんでしたが、自信が持てるようになりました」

「勉強することが楽しくなってきました」

「勉強にハマり込み、完全に勉強に依存しています」

生徒からはこういった声をたくさんもらっています。かなり強力な方法なので、ぜひあなたもこれから意識的に実践するようにしてみてください。

それは何か？

「自分でできた経験（達成経験）をつくること」です。

自信を持ってはっきり言い切れます。この経験を積み重ねて勉強に依存しないことはありえません。なぜならそれは、「人間の本能にガツンと直撃する」からです。「自分でできた経験」とは言い換えると「欲求が満たされた経験」です。この状態に限りなく近いのが「ハマる」です。

今あなたがハマり込んでいるものを1つ思い浮かべてみてください。スマホ、ゲーム、マンガ、ＹｏｕＴｕｂｅやスポーツ、パチンコやパチスロ、音楽、好きな芸能人……など。

今現在、ハマり込んでいるものがなければ「過去にハマり込んだもの」を思い返してみてください。すると、どうすれば自分を依存状態に持っていけるかが見えてきます。なぜなら、「ハマる」は「ほぼ依存状態」といえるからです。

たとえば、「ゲームにハマっている」とすれば頭の中がゲームで満たされ、ゲームのことを考えただけで、やりたくて仕方なくなってきますよね。ほぼ依存状態です。なぜあえて「ほぼ」なのかというと、「ハマる」は一時的なもので「飽き」が来る可能性があるからです。つまり、「ハマる↓飽きる↓依存にまで到達しない」という流れになる可能性があります。

ハマったものが続くかどうか。これが依存するかしないかの分かれ目です。「ハマる↓続く↓依存にまで到達する」にしなければなりません。

ともかく、勉強依存を引き起こすためには、「ハマる」がそのための第一歩です。
人がハマっているとき脳の中で何が起こっていると思いますか?
欲求と脳汁が交互にあふれ出ています。

欲求を満たしたい→満たす→脳汁が出る→また脳汁を出したいから欲求を満たしたい→満たす→脳汁が出る→……

「勉強欲」を満たせ

人間は感情の生き物です。理性によるブレーキはありますが、社会やまわりの人に迷惑をかけないかぎりは、欲に従い、欲に抗(あらが)えないのが人間です。
人は食欲・性欲・睡眠欲の3大欲求が、行動の指針になっています。人間に感情がある限り、欲はつきまといます。「ハマる」のも何らかの欲があるからこそです。ゲームにハマるのも、漫画にハマるのも、アニメにハマるのもすべて自分の欲を満たしたいからハマるのです。

これが「人間の本能にガツンと直撃する」の意味です。

したがって、勉強にハマるためには、「勉強欲」を満たす経験をさせればいいのです。

「問題が解けて気持ちよかった」

「理解できなかった問題が理解できてスッキリした」

「これまでできなかった問題が自力で解けて自信がついた」

このように「勉強が欲を満たしてくれるもの」になれば、勉強にハマり込んでいきます。ハマるためには、どうしても欲を満たし、脳内で快楽物質を出すことが必要になります。そのために「自分でできた経験」（達成）を増やすのです。

私が授業をする中で徹底していることがあります。

「最後は必ず生徒が自力でできた状態にすること」です。

私からは答えを言いません。

もちろんその前に前提となる解説をしたり、ある程度のヒントを与えることはありますが、最後の最後は、生徒自身がみずから考え、答えを捻（ひね）り出し、「できた」という状態にします。「自分1人でできた」という価値ある経験（達成経験）を積んでもらうためです。誰かの力でできたことに本当の価値はありません。

努力する人は、もがきながら、痛みを伴いながらでも、その中に「よし、できた！」を見いだします。そして、そこに留まることなく、積み上げます。「よし、できた！」にまで持っていける方法もみずから確立しています。だからブレません。「この方法ならできる」「自分ならできる」という確固たる自信が生まれるからです。

「よし、できた！」は快楽ですよね。人は、できた瞬間に脳汁が滲み出ます。気分が高揚します。テンションが上がります。

したがって勉強するときは、必ず1つは「よし、できた！」と欲求を満たすことに集中してください。

「何をできるようにしようか？」

この考え方で勉強を始めてみるのです。そして、何がなんでもできるように変えてください。

たとえば、「英単語を100個暗記しよう」と決めれば、何がなんでも英単語を100個覚えるのです。覚えることに全集中してください。

100個覚え、テストして、100点だった。

「よし、できた！」

一時的ではありますが、勉強欲が満たされます。英単語を100個覚えたことによって得られた快楽です。この勉強欲が満たされることが4大成分の3つ目「達成」です。

「達成」とは「自分で決めた課題が自分でできた状態」です。

勉強において、自分で決めた課題ができたときほど欲が満たされることはありません。それほど「自分で決めたか」「自分でできたか」の2点は重要です。勉強にハマるのも、勉強に依存するのも「自分」だからです。達成を目指して勉強するのは「あなた」です。欲を満たし続けてください。

一時的な欲が「ハマる」。

永続的な欲が「依存」。

具体的な勉強については、この後お伝えしますが、まずは前提となる勉強に依存するために必要なことを押さえてください。

- 依存のスタートは「ハマる」であること。
- そのためには達成することで欲を満たし続ける必要があること。

これらを元に「達成」を深掘りしていきます。

達成のゴールは「できた」。これは「勉強の本質」です。

勉強の本質「できた」を利用する

勉強の最終到達点はいつだって決まっています。

「できた」

この状態を実現するために勉強していると言ってもいいくらいです。あなたの勉強は「できた」で終わっていますか？　「できた」で終えられているならクリアですし、「できた」で終えられていなければノットクリアです。

なぜここまで「できた」にこだわっているのか？

「勉強の本質」だからです。

勉強の本質とはできなかった問題ができるようになることです。日々勉強していると、わからない問題、間違えた問題、答えは合っていたけど怪しかった問題は必ず出てきます。それらをどうやって「できた」に変えていくかが勉強です。

つまり、勉強において最も重要なタイミングは「できなかったとき」と言うこともできます。

では、それらを「できた」にするにはどうすればいいのか？　人によって勉強しなければならない内容、科目も違うので、それぞれ個別具体的な解法をここで列挙しても意味がありません。しかし、どんな問題に対しても「できる」ように対応する方法があります。それは、問題解決策を複数持つということです。

たとえば、「A」という問題ができなかったとします。このとき、Aを「できた」に変えていく方法をいくつ持っているのかが、ものすごく重要になります。


問題Aを解くために……

- 解説を一言一句、時間をかけて読む。
- 自分の言葉でノートにまとめる。
- ＹｏｕＴｕｂｅで動画検索して類似問題を探す。
- 先生に質問する。

どれだけ問題Ａを解くためのアプローチ方法を持っているかで、Ａが解けるか否かが決まります。

「解説を一言一句、時間をかけて読む」をしたけどあまり頭に入らなかった。だから「自分の言葉でノートにまとめる」をしたら頭に入った。

このように自分の中で「できるように変えていける方法」を持っていれば、できなかった問題をできるように変えていけます。

つまり、勉強の本質「できた」、４大成分の1つ「達成」が満たせます。

そのためにも、できなかった問題をできるようにする「自分だけの成功パターン」を確立させる必要があります。「自分だけの成功パターン」とは「○○すればできるようになる」という「達成」に到達する方法です。その「○○」をあなた自身が生み出していくのです。

● 成果を言語化する

勉強していれば次のような瞬間に出会うことがあります。

「この方法、うまくいったぞ」

勉強人生が変わる瞬間です。決して大袈裟なことを言っていません。うまくいった瞬間に注目し続けると、自分の勉強のやり方は大きく変わります。

「うまくいったこと」をここでは「成果」と呼ぶことにします。

実に多くの人が、成果が出た瞬間にだけ注目しようとします。成果が出て、達成感を味わうことや悦に入ることはとても重要です。でも、もっと重要なのは「その成果はどうやって得られたのか」という「過程に注目すること」です。「成果」にしか注目せず、「成果までの過程」に注目しない人は非常に多いのです。

これは私の生徒を見ていてもそうです。せっかくうまくいったのに、成果が出たのに、「それ、どうやって解いたの？」と「過程」を聞くと答えられなかったり、具体的に言語化できない生徒は本当にたくさんいます。それでは「自分だけの成功パターン」や

「○○すればできるようになる」の「○○」は確立されません。

あなたは日々勉強する中で、できなかった問題をできるようにしたり、成果を出した勉強をしているはずです。それを必ず言語化してください。「ノートにうまくいった方法をメモする」でも、「スマホに音声入力でメモする」でも何でもかまいません。とにかく「どうやってできるようになったのか」という過程、「自分だけの成功パターン」を言語化しておくのです。

これを知っているか、知っていないかで、勉強への安心感はまったく違ってきます。なぜなら、自分だけの成功パターンには再現性があるからです。自分がうまくいった方法は次にも使える可能性が非常に高いわけです。

たとえば、英単語を100個覚える方法として、

覚える時間を確保する→テストする→間違えた問題に印をする→印のついた単語のみ覚える→印のみテストする→印が完璧になるまで繰り返す（ここまでで1セット）→2週間で合計5セット回す

というのが、自分の成功パターンだとすれば、「英単語を１００個覚える方法」として、新たな英単語を１００個覚えたいときに、この方法を使い回せば覚えられます。

自分の成功パターンを確立するために、必要な思考法があります。「実験思考」です。「実験思考」とは日々勉強法を試し、成果を検証する考え方です。うまくいった勉強法だけ残し、うまくいかなかった勉強法は捨てる。この繰り返しにより、あなただけのうまくいく勉強法が確立していきます。

成果を得るためには「試し続ける」ことです。「これ、うまくいきそうかな」という方法があれば使い、成果を見る。ＹｏｕＴｕｂｅにアップされている勉強法の動画を参考にやってみて、「出来具合い」を確認するでも、友だちや先生にどんな勉強をすればいいかを聞いて、やってみるでもいいのです。

ちなみに私は「海外塾講師ヒラ」というチャンネルでＹｏｕＴｕｂｅに５００本以上、勉強法の動画をあげているので、ぜひ参考にしてみてください。

勉強していて、「１カ月勉強して何も成果が出ませんでした」なんて人はいません。勉強していればわからなかった問題がわかったり、できなかった問題ができるタイミングは必ずやってきます。成果を出すことができます。

その成果はどうやって、何をすることで得られたのか？

成果が出た方法を言語化し続ければ、自分だけの成功パターンが蓄積されます。できなかった問題をできるように変えていく経験を増やしていけます。これは「勉強の本質」でしたね。

こういった勉強を続けていって伸びないことなどありえません。4大成分の3つ目「達成」を目指して、勉強に依存するチャレンジをしてください。

第4章

勉強は「環境」が9割

*「勉強麻薬」の4大成分

●「環境」について考える人は驚くほど少ない

「勉強麻薬」の4大成分の最後は「環境」です。

環境は勉強どころか人生をも変える可能性があります。これは決して言い過ぎではありません。

たとえば、「まわりが勉強しかしない」という環境であれば、あなたも「勉強しかしない状態」に勝手になっていきます。なぜなら、まわりは勉強しかしないので自分も勉強することがあたりまえになり、逆に「勉強しない」という選択肢を知りませんし、勉強しないことなんてありえない状態になっているからです。

はい、勉強依存です。

ただ、この状態はもう「依存」というレベルすら超えて、「勉強＝人生」になっています。それほど「環境」は強力です。強力すぎるので「環境」について慎重に考えていきましょう。

まず「環境」は、次の3つで決まります。

①場所
②人間
③言葉

どんな場所にどんな人がいて、どんな言葉を交わしているか？　これで「環境」は決まります。だから場所、人間、言葉には本当に気をつけないといけません。

あなたは、どんな場所で、どんな人と、どんな言葉を使って勉強していますか？

この機会に振り返ってみてください。日々「自分の環境」について振り返ることはとても重要です。勉強のやり方、勉強量、勉強時間はもちろん大切です。でも実は、環境はもっと重要です。なぜなら、勉強に集中できない環境にいれば、そもそも勉強できないからです。

何かしら勉強で成果をあげなければならない人は、その姿勢が前向きか後ろ向きかにかかわらず、目の前の勉強のことを気にします。私はこれまでSNS発信をする中で何万件とご質問をいただいてきましたが、そのほとんどが「勉強」に関する質問でした。

「どうすれば効率的に勉強できますか？」

「勉強時間を増やすためにはどうすればいいですか？」

「今から半年で偏差値を20上げるためにすべき勉強は何ですか？」

すべて勉強に関する質問で、次のような環境に関する質問はほとんどありませんでした。

「どんな場所で勉強すればいいですか？」

「どんな人と勉強したらいいですか？」

「場所」も「人間」も身近にありすぎるのでそもそも疑問になりづらいのです。だから「環境」について人はそこまで考えません。考えないので環境を変えられないのです。

場所、人間、言葉。あなたはどこまで考えていますか？

もし「環境」について、あまり考えてこなかったのであれば一緒に考えていきましょう。

繰り返しになりますが、環境次第で勉強も人生もまったく違ったものになります。環境で人生はひっくり返せます。せっかくご縁があって本書を手に取っていただいたのであれば環境で人生をひっくり返してやりましょう。

●最強の勉強場所とは？——場所

まずは「場所」です。

どんな場所で勉強しているのか？　こだわってください。「こだわる」とは、細部まで考えること。場所は細部まで考えられたものでなければいけません。そうしないと、その場所で価値ある勉強はできません。

たとえば、テレビがあるリビングで勉強していたとします。自分が勉強していたら弟がテレビをつけました。その番組が面白く、つい勉強中に見入ってしまい、完全に勉強ができなくなりました。勉強場所がまずかったのです。

他にも、スマホが置いてある勉強机で勉強していたとします。いろんなアプリの通知が来るたびに集中力が切れていき、「ちょっと休憩でYouTubeを見よう」と思い、スマホに手が伸びました。5分くらいと決めていたのが「次の動画も」が続き、気がつけば1時間経っていました。勉強場所にあるものがまずかったのです。

こういう経験は誰しもあるはずです。

失敗してしまう根本的な理由は「細部まで考えていなかったから」です。場所は、こだわらないといけません。

そのために必要なのが、すべてのものに「根拠」をつけることです。あなたが勉強する場所、勉強まわりにあるものすべてに根拠をつけてください。

- なぜその場所でないといけないのか？
- なぜそれが、そこにないといけないのか？

細部まで考えるためには場所とまわりにあるものについての「なぜ」を深掘りしないといけません。

たとえば、図書館で勉強するなら、

- 図書館でないと集中して勉強できない。
- どうしても家だとダレてしまい、誘惑物に時間を浪費する。
- まわりが勉強モードなので図書館だと自分も勉強モードになれる。

まわりにあるものであれば、

- 目の前に時計があることで集中して勉強できる。
- 机の上は問題集とノートだけのほうが勉強しやすい。
- 左手側に水の入ったコップを置くことで水分補給できて勉強が持続する。

すべてに根拠をつけて、勉強に取り組めていれば勉強にのめり込んでいけます。なぜなら自分に合っているからです。ゴールは「自分にあった最高レベルの集中場所」です。その場所であれば「無限に勉強できる」とはっきり言える場所、そこに行けば一瞬で集中モードに入れる場所です。自分の勉強場所について試行錯誤してください。

- この場所は、本当に自分に合っているか？
- この場所は、最高レベルの集中場所か？

考え、細部を変更し、試す。うまくいけば続け、うまくいかなければ戻す。この繰り返しにより「自分に合った最高レベルの集中場所」は実現していきます。

難しいことのように思われるかもしれませんが、そんなことはありません。なぜなら、あなたはすでに実現させているからです。

どういうことか？

「お風呂」「トイレ」「寝室」で実現させているのです。お風呂に行けば、体を洗い浴槽に浸かります。トイレに行けば用を足します。寝室に行けば寝ます。3つすべてに行く目的や根拠がありますよね。

勉強も同じように考えてください。何かを成し遂げるうえで重要なことは「うまくいっているものと同じように考えてすること」です。

たとえば、私にとっての自分にあった最高レベルの集中環境は「自分の部屋」です。かなりの集中力を使う仕事をするとき、授業の予習をするとき、ＹｏｕＴｕｂｅ動画の撮影をするとき、オンライン授業をするとき、いつも自分の部屋でしています。余計なものは排除し、ほぼスカスカな状態の部屋にしているので、毎日何時間も集中して作業することができ、生産的な時間の使い方ができています。ちなみに本書の執筆も自分の部屋でしています。

お風呂もトイレも寝室も、それぞれの目的を実現できているあなたです。勉強も同じようにできます。自分がうまくいく勉強場所をつくり出し、そこに行けば自動的に勉強できる。そんな自分だけのオリジナルの場所をつくり出してください。

●関わる人間で結果が変わる――人間

私には中学時代、とても慕っていた塾の先生がいました。すごく熱く、面倒見が良く、いつもニコニコしている先生でした。

「間違い直しノートつくってみ」

その先生からアドバイスされたことの1つです。

「間違い直しノート」とは授業、小テスト、宿題など自分が解いて間違えた問題をすべてコピーしてノートの左側に貼り、右側に解答と解説を自分の言葉で書くというノートです。正直、かなり骨の折れる勉強法でしたが、その先生を信じてやり続けました。

間違い直しノートを始めて3カ月、驚くべき結果が出ました。塾内テストでこれまでほぼ最下位だったのに、2位まで成績が急上昇しました。

私はこのとき、思いました。

「勉強のやり方次第で勉強の結果ってこれだけ変わるんだ」

でも、実はもっと大切なことがあります。

「誰から教えてもらうか」

人が変わるのは、人から影響を受けたときです。私はその先生がいなければ絶対に成績を伸ばすことができませんでした。その先生のおかげでしかありません。教えてもらわなければ「間違い直しノート」のことなんて一生気づけませんでしたので。

この話からお伝えしたいことは「関わる人間の重要性」です。

あなたは勉強していく中でどんな人と関わり、どんな人がまわりにいますか?

もちろん1人で勉強していて結果が出ている人はそれでかまいません。でも多くの人は、自分1人の力で勉強するのは難しいのです。指導者が必要な場合は当然あります。勉強は孤独なものです。最終的には自分1人で勉強していかないといけません。

でも、いつだって人のまわりには人がいます。あなたのまわりにも人はいます。環境の中には「人間」がいるのです。

誰に教えてもらい、誰と勉強し、誰と関わっていくのか？
あなたの人的な環境は、あなたの勉強に大きく影響します。

●味方につけるべき3タイプ――人間

勉強における関わりの強い「人間」は3タイプです。

①指導者
②勉強仲間
③保護者

これまで何百人もの生徒、保護者様と関わってきましたので断言できますが、伸びる人、勉強に依存する人は総じて、これら3タイプの人間か、そのいずれかを味方につけています。

良い指導者に出会えなければどれだけ勉強しても伸びないかもしれません。勉強仲間のモチベーションが低く、遊んでばかりいれば、自分も遊びに流されるかもしれません。ご両親が「勉強なんてしなくていい」という考え方であればそもそも勉強しないかもしれません。

このようにあなたが普段関わりの強い人は、あなたに深く影響するのです。

ただ現実をお伝えすると、「人間」についてはどうしても運という要素が大きく関わってきます。正直、どんな人と出会うのかなんて運でしかありません。

「近くの塾に行ったら、指導者が最高だった」

「まわりの仲間がめちゃくちゃ勉強する」

「両親が教育熱心で勉強意識が高い」

運です。ガチャです。あなたがコントロールできることではありません。だから、時と場合によってはどうしようもないことがあるかもしれません。

では、人に恵まれなければ、あきらめなければいけないのか?

そんなことはありません。現代は、教育環境が非常に充実しています。

●プロ講師の授業見放題サービス。

●優れた参考書や問題集。
●YouTubeの無料授業動画や勉強配信系YouTuber。

一昔前とは比べ物にならないほど良質で、無料あるいは安価な教育コンテンツであふれかえっています。指導者や問題集が自分で自由に選べる時代です。アプリを使えば勉強意識が高い勉強仲間とも出会えます。

「人間」については運に左右されやすいと書きましたが、その影響が弱まりつつあるのが現代の教育環境です。じゃんじゃん活用していってください。ご両親は選べませんが、指導者や勉強仲間はあなたの行動次第で選べます。

●どんな人が必要かを書き出す――人間

そもそも運を引き寄せるのは「行動」です。行動しなければ良い指導者とも勉強仲間とも問題集とも出会えません。つまり行動することから目を背けてはいけないのです。みずからの行動で好影響を与えてくれる人を手繰(たぐ)り寄せてください。

具体的にすることは、「どんな人が自分に必要なのか」という自分の理想を紙に書き出すことです。

たとえば、次のような人間です。

- 教科の勉強を教えてくれる人。
- 勉強のやり方を教えてくれる人。
- モチベーションを上げてくれる人。
- 第1志望校に合格させてくれる人。

理想が明確になるから、あなたが本当に関わるべき人が見えてきます。あとはリサーチして見つけるだけです。見つかれば飛び込み、そこに身を置き続けてください。あとは、そこでの基準、ルール、あたりまえを吸収し、反復していくだけです。

たとえば、理想の映像授業の先生に出会えば、その先生が言ったことを全部やってください。その先生の基準、ルール、あたりまえを吸収することに意識を向けるのです。

人に限らず、「問題集」でもかまいません。理想の問題集に出会えたのならその問題集に書いていることを全部吸収してください。

ここでのテーマ「人的環境を変える」とはそういうことです。

あなたには理想があるはずです。そうであれば、その理想に近い人間が、あなたが本当に関わるべき人です。

あなたはどんな人と関わりますか？

脳に刷り込まれる言葉——言葉

「環境」の最後は「言葉」です。

「環境と言葉が、どうつながるんだ？」

こう思われた人は多いと思います。両者は関係性が薄いように感じられるかもしれません。でも実は関係しかありません。

ここまで、「環境」では「場所」と「人間」についてお話ししてきました。

どんな場所でどんな人と勉強するか？　これが勉強依存を引き起こすカギでした。

では、ここであなたにちょっとしたクイズです。

環境における「場所」と「人間」。どちらでも必ず行うことは何でしょうか？

少し本書から目を離して考えてみてください。


では答えです。

「話す」「聞く」です。

あなたが勉強する場所では関わる人たちと話しますよね。話を聞くこともあると思います。学校や塾に行っているのであればそこでも話をするか、話を聞きますよね。もしかしたら1人で勉強するときも音読や、ブツブツ声に出しながら暗記をしているかもしれません。

- 勉強する場所では話をする。
- 人がいれば話をするか話を聞く。

そう、環境内では必ず言葉を扱うのです。

「環境」と「言葉」は切り離せませんし、言葉なしに勉強することはできません。

本書もそうです。

私が書いた言葉を今あなたが読んでいます。言葉がなければ本も完成しません。以上からお伝えしたいことはたった1つです。

言葉を変えれば人生が変わる。

抽象的なので具体的にしていきます。

たとえば、「野球一家に生まれた子」がいたとします。その子は、幼いころからずっと野球の話を聞いてきました。すると野球をすることがあたりまえのように感じ、自分も野球を始めました。少年野球に入り、その中でも野球の話ばかり聞きます。自分も野球の話をします。寝ても覚めても野球です。毎日素振りをし、走り込みをし、投げ込みをします。野球が人生の一部になっているからです。野球がない人生なんて考えられない状態です。「野球依存」とでも言いましょうか。

野球がうまくなるために、試合でヒットやホームランを打つために、ファインプレーをするために野球に人生を捧げる。素晴らしいです。ものすごく魅力的です。

さて、なぜこうなったのでしょうか？

「野球に関する言葉」を浴びてきたからです。毎日毎日、野球の話を聞き続ければ脳が野球で支配されます。野球することがあたりまえになっていきます。だから野球依存にもなりますし、野球の練習をします。

私はここまでで「野球」という言葉を19回使ってきました。

「え？　そんなにも⁉」と思われた方は「『野球一家に生まれた子』がいたとします。」から数えてみてください。

これだけ「野球」という言葉を浴びせられれば、あなたも野球について意識しますし、野球について考えるかもしれません。

2023年のWBC（ワールドベースボールクラシック）でも日本は世界一になりましたので、そもそも「野球」に注目している人は多いのではないでしょうか？

もしかしたらこのあと、YouTubeで「野球」について調べ、珍プレー・好プレーのような野球動画を視聴するかもしれません。それはもう、軽い依存状態です。

「ある言葉」に触れれば触れるほど、人は「ある言葉」にのめり込むようになるのです。

郵便はがき

差出有効期限
令和7年6月
30日まで

1 6 2-8 7 9 0

東京都新宿区揚場町2-18
白宝ビル7F

フォレスト出版株式会社
愛読者カード係

フリガナ お名前	年齢　　　歳 性別（ 男・女 ）
ご住所 〒 ☎　（　　）　FAX　（　　）	
ご職業	役職
ご勤務先または学校名	
Eメールアドレス メールによる新刊案内をお送り致します。ご希望されない場合は空欄のままで結構です。	

フォレスト出版　愛読者カード

ご購読ありがとうございます。今後の出版物の資料とさせていただきますので、下記の設問にお答えください。ご協力をお願い申し上げます。

● ご購入図書名　「　　　　　　　　　　　　　　　　　　」

● お買い上げ書店名「　　　　　　　　　　　　　　　　」書店

● お買い求めの動機は?

1. 著者が好きだから　　2. タイトルが気に入って
3. 装丁がよかったから　　4. 人にすすめられて
5. 新聞・雑誌の広告で（掲載誌誌名　　　　　　　　　　）
6. その他（　　　　　　　　　　　　　　　　　　　　　）

● ご購読されている新聞・雑誌・Webサイトは?

（　　　　　　　　　　　　　　　　　　　　　　　　　　）

● よく利用するSNSは?（複数回答可）

□ Facebook　□ Twitter　□ LINE　□ その他（　　　　　）

● お読みになりたい著者、テーマ等を具体的にお聞かせください。

（　　　　　　　　　　　　　　　　　　　　　　　　　　）

● 本書についてのご意見・ご感想をお聞かせください。

● ご意見・ご感想をWebサイト・広告等に掲載させていただいてもよろしいでしょうか?

□ YES　□ NO　□ 匿名であればYES

●理想を実現させる言葉とは？――言葉

実は、「依存するとき」というのはその依存物に関する言葉を意識的にせよ無意識的にせよ浴びているものなのです。

「言葉↓依存」の流れです。

スマホやゲーム、漫画すべてに「言葉」が絡んでいます。スマホにもゲームにも漫画にも「言葉」が存在しますよね。

言葉は強力です。言葉が人の行動を変えます。

勉強依存を引き起こすためにどうしても必要なものです。

ではどうすればいいのか？　簡単です。

勉強に関係する言葉に触れ続けてください。

これは4大成分の2つ目「密着」とも似ています。

「密着」では実際に勉強アイテムを身につけましたが、ここでは「言葉を密着させる」イメージです。「ある特定の言葉」を密着させるのです。

たとえば、「資格試験に一発合格する」という勉強目標を掲げたなら、寝ても覚めてもこの言葉に触れ続けます。なんなら一番目につくところに「資格試験に一発合格する」と大きく紙に書いて貼っておき、毎日毎日声に出すなり、見るなりします。意図的に触れ続けるのです。

もちろん、ただ触れ続けるだけでは意味がないので、次に「資格試験に一発合格する」について考えます。

- どうやったら資格試験に一発合格できるか？
- 具体的にどんな勉強をすればいいのか？
- どんなスケジュールで勉強すればいいのか？
- 今の自分に足りない勉強は何か？

バシッと決めた、目標となる言葉についての達成方法を考え続けるのです。「資格試験に一発合格する」にだけ集中し、達成に向けてのめり込んでいきます。実際にそのための勉強を自然に行うようになります。こうやって依存状態へと近づく流れが生まれます。

目標になる言葉を決める↓意図的にそれに触れ続ける↓その達成方法を思考し続ける↓自然に依存状態へと近づいていく

あなたは日々どんな言葉を使っていますか？

または、聞いていますか？

本書をきっかけにこれから生活していく中で「自分が聞いた言葉」「自分が発した言葉」に注目する習慣をつけてみてください。言葉を丁寧に扱い、言葉に意識を向けるのです。

理想を実現させる人はいつだって理想を実現させる「言葉」に触れる習慣を持っています。

- 暗記しなければいけない「言葉」に触れ続ける。
- 目標を「言葉」にして誰かに宣言する。

●解き方を「言葉」で説明する癖をつける。

言葉があなたを形成します。

言葉で自分自身を突き動かし、理想のあなたを形づくってください。言葉は一生つき合っていくものです。つき合い方を変えれば考え方も行動も人生も変わります。それほど言葉は偉大です。

生物の中で言葉が使えるのは「人間」だけです。人間だけに与えられた偉大な「言葉」を使わない手はありません。すでにあるものを大切に徹底的に使っていくことです。

第5章

やめられない・逃れられない4大成分の使い方

ここからは、より具体的に「どうやって実際の勉強で『勉強麻薬』の4大成分を使っていくのか?」についてお話ししていきます。

やることはシンプルです。

組み合わせる。

4大成分、情熱・密着・達成・環境をそれぞれ組み合わせて使っていくことで勉強依存をブーストさせます。

1つしか使わないよりは複数を組み合わせて使ったほうが効果は倍増しますからね。武器は多いに越したことはありません。4大成分なので4つすべての武器を持てばいいのです。

ただし、4つすべてを一気に使っていくことは難しいですし、武器は使いこなせないと意味がありません。まずは取り組みやすい組み合わせ、状況に応じた組み合わせをお伝えしていきます。

ただ1つだけ、絶対に外せない要素があります。「情熱」です。どの組み合わせにも必ず「情熱」は必要です。なぜ情熱だけが特別なのか?

●「情熱」を燃やし続ける

4大成分をお伝えする中で、私は一番はじめに「情熱」について解説しました。情熱がないと密着も達成も環境も得られないからです。

「まったくやる気がありません」「勉強なんてしたくありません」という人がいたとします。こういう人は、勉強アイテムを密着させることもないですし、達成したい理想（目標）もないですし、環境を変えようともしません。

つまり、情熱がなければ4大成分を満たすことはできないのです。だから、情熱だけは絶対に必要です。

さらに重要なことは、「情熱を燃やし続けること」です。情熱は花火のように一時的にはじけるものではなく、持続しなければなりません。ただ、そう簡単に情熱を燃やし続けることはできません。どんなにうまくいっている人でも、情熱が消えかけることはあります。

たとえば、テストまではすごく勉強したけど、テストが終わった途端に勉強しなくなるなんてことは、誰もが経験することでしょう。

ところが、稀に勉強への情熱を燃やし続けられる人がいます。「情熱を燃やし続ける方法」を意識的にせよ、無意識的にせよ知っていて、実践しているのです。そして驚くべきことですが、こういう人たちは総じて、「情熱を燃やし続けよう」などとはまったく考えていません。

なぜか？

情熱を燃やし続けることではなく、「別のところ」にフォーカスすることのほうが重要だと考えているからです。情熱を燃やし続けられる人は「情熱を復活させること」にフォーカスしています。

これはどういうことか？「情熱を燃やし続ける」と「情熱を復活させる」の違いを「ろうそく」を例にお話しします。

「情熱を燃やし続ける」とは、ろうそくの火が燃え続けている状態。

「情熱を復活させる」とは、ろうそくの火が消え、再度火をつけ、燃えている状態です。

どちらも最終的には「火が燃えている状態」ですが、実際情熱が燃え続けている人はまずいません。人間は感情の生き物なので、あるタイミングで情熱の火が消えかけたり、消えたりすることなんて普通に起こります。だからこそ重要なのが、消えてしまったろうそくの火に再度火をつけ、燃やし続けることなのです。

以上から「情熱を燃やし続ける」は「情熱を消えないようにし続ける」とも言い換えられます。情熱が消えそうになったときにリカバリーできる「リカバリー力」がある人は情熱を燃やし続けられます。情熱を絶やさないリカバリー力を身につけ、情熱を復活させることができれば勉強はいくらでも続けられます。

では、どうすればリカバリー力を身につけられるのか？　そのための方法が次の３ステップです。

ステップ1　理想（目標）を再確認する。
ステップ2　1つに決める。
ステップ3　少しだけ動く。

情熱の根源は「理想（目標）」です。

「何を理想に勉強しているのか？」がわからなくなると、途端に情熱は消えていきます。

「自分の理想は何なのか？」「何のために勉強しているのか？」を定期的に確認してください。これは第1章でお話しした「自問自答を繰り返す」に近いです（↓40ページ）。

（↓40ページ）

寝る前のルーティンにしてもいいですね。

自分の理想は○○ → ○○に向けて明日もがんばろう！

理想の再確認が「やる理由」を明確にします。やる理由がないものに対して人は動こうとしませんからね。

理想が再確認できれば次に「ステップ2　1つに決める」をします。理想の実現に向けて「今一番なすべきことは何なのか？」を1つだけ決めます。

たとえば、「英単語の暗記から」「問題集の解説ページの理解から」「昨日間違えた問題の解き直しから」という感じで決めます。

「まずは○○から」をテンプレートにして、「○○」を埋めれば1つに決めることができます。

理想に向けた行動が1つに決まれば、最後に「ステップ3　少しだけ動く」をします。

決めた1つの難易度はさまざまです。「英単語の暗記100個」であれば難易度はまったく違いますからね。「英単語の暗記10個」と情熱が消えつつあるときほど、無理をせずにやるべきことを1つに絞って、少しだけでも動くことが非常に大切です。「少しだけやるか」と本当に少しだけやる人と、何もしない人とでは圧倒的な差となっていきます。なぜなら、微差は大差になるからです。

「塵（ちり）も積もれば山となる」ですね。少し動けば、また少し動けます。少しも動かない人はずっと動けません。難しいことではありません。決めた1つを少しやるだけだから。

情熱を燃やし続けられる人、情熱を復活させられる人は、一息つける場面でも「少しだけ」やっています。すごいこと、特別なことをやっているわけではありません。地味なことを少しやる。これをただ積み重ねているだけです。「少しやることの威力」を感じているから、苦もなくできるのです。

次項からは「4大成分を組み合わせた勉強」のお話をしていきます。「○○してください」と、あなたに自ら考え、決めてもらうことが出てきますが、1つに絞ること、少しやることに集中してください。あなたを変えるのは1ミリの行動です。

手のひらサイズのアイテムを持つ──情熱×密着×達成

情熱を燃やし続けた状態で「何を密着させ、達成するのか?」。

「情熱×密着×達成」の組み合わせです。

「密着」が含まれるので密着させる勉強アイテムを決めるところから開始です。重要なことは「いつでもどこでも見られる状態にすること」です。常に勉強アイテムを密着させるので、なるべく軽く、持ち運びやすい勉強アイテムを選びます。

「軽い」「持ち運びやすい」の2条件を満たすためには「手のひらサイズであること」です。英単語帳や用語帳などが該当します。

あまりにも大きく、重く、持ち運びが難しい勉強アイテムだとどうしても密着させるのが難しくなりますからね。分厚い資料集や参考書をずっと持ち歩き続けるのは困難です。

次にその勉強アイテムを身につけることで「何を達成するのか?」を明確に決めます。

たとえば、英単語帳を密着させるのであれば「英単語帳で何を達成するのか」を明確に決めます。ここでの達成条件は「ノルマ」とも言えます。

たとえば、「30分の通学時間の中で50個の新出英単語の意味を暗記→テストを4セット回し、すべて完璧に覚え切る」というような感じです。

こんな感じで、密着させた勉強アイテムのノルマを明確に決めてください。

ノルマを決めるときのポイントは、次の3点です。

- 数値化
- 勉強法
- ゴール

英単語の例であれば「30分」「50個」「4セット」が「数値化」、「暗記→テストを4セット回し」が「勉強法」、「すべて完璧に覚え切る」が「ゴール」に当たります。これらが不明確だと「何をどのようにして達成するのか?」がよくわからないので、「達成」できない可能性が高まります。たとえば、「英単語の暗記をしよう」というざっくりしたノルマだと、「どのくらいの数をどれだけの時間費やし、どうやって覚えるのか?」

が明確でないのでノルマ達成が困難になるのです。

より効果的に学習できるように、「数値化」「勉強法」「ゴール」の3つを深掘りしていきます。

数値化・勉強法・ゴールの設定

まずは「数値化」。数値化するうえで大切なのは「個数、ページ数」「制限時間」「セット数、周回数」の3つを決めることです。これら3つは密着させるどんな勉強アイテムに対しても使えます。例をあげます。

- 漢字100個（個数）を60分（制限時間）で3セット（セット数）回す。
- 古文単語30個（個数）を15分（制限時間）で2セット（セット数）回す。

このように「〇〇を◇◇個、□□分で△セット回す」をテンプレートにして、あとは空白を埋めるだけでどんなものに対しても数値化できます。主に「暗記向け」ではありますが、問題集に対しても「数学の問題集10ページを120分で1セット回す」のようにすると数値化できますね。ノルマを決めるうえで数値化することは本当に大切なのでぜひ多用してみてください。

次に「勉強法」。「どうやって勉強するのか?」を決めます。勉強をステップ化するといいですね。「A↓B↓C↓D↓E」のようなイメージです。

覚える時間を確保する→テストをする→間違いに印をする→印をしたもののみ覚える↓印をしたものを完璧にする

これが「勉強法」です。

どういったステップで勉強を進めるかを決めることで「何をすればいいのか?」が明確になり、決めた勉強に集中できます。これは集中力を保つ秘訣でもあります。集中力は「何をすればいいのか」が明確に決まっているときに発揮される力だからです。典型的なものが「テスト」です。

テスト＝問題を解く

「何をすればいいのか」が明確に決まっているからこそ集中できるのです。集中の最高レベルが「依存」です。依存状態時は、その内容に没頭して抜け出せないくらいの集中力を発揮しています。

そして、最後に必要なのが「ゴール」の設定です。ゴールは「クリア条件」とも言えます。「どうなればゴール達成するのか」をあらかじめ決めておきます。

- 完璧に覚えればクリア。
- 音読を10回すればクリア。
- 決めた問題数が解ければクリア。
- 自力で解くことができればクリア。

クリア条件を明確にしてください。

たとえば、フルマラソンであれば「42・195キロメートル」とゴール（走る距離）が決まっているから走ることができます。ゴールがなく、「ただずっと走ってください」と言われれば地獄です。走る気にすらなれません。

「テスト」もそうです。「制限時間50分以内ですべての問題を解く」のようにゴールが決まっているからテストに集中できます。「制限時間も問題数も無制限」なんてテストを誰も受けたくありません。

以上、数値化・勉強法・ゴールの3つを盛り込んだノルマを立てて、密着させた勉強アイテムを使っていってください。

● 場所・人間・言葉との組み合わせ――情熱×密着×環境

情熱を燃やしつづけた状態で、何をどこで密着させるのか。

第4章では「環境」を満たす3要素として、「場所・人間・言葉」をお伝えしました。これらと密着を組み合わせていくのが狙いです。

ここでは次の3パターンの組み合わせを考えていきましょう。

- 場所（環境）×密着
- 人間（環境）×密着
- 言葉（環境）×密着

もちろん、場所×人間×密着のように3つ以上を組み合わせるパターンもあります。

ただ、まずは2つの組み合わせを完成させたあと、3つ以上に落とし込んでいきます。一気に増やしすぎるとハードルが上がり、手がつけにくくなりますからね。

勉強との密着についてもう一度確認したい人は、第2章を参照してください。

場所（環境）×密着

ある特定の場所で密着させた勉強アイテムを使用し続けます。

「図書館で理科の問題集を解き続ける」というように、場所と勉強アイテムを絞り込むことが大切です。これらを絞り込むことで「○○（場所）では△△（勉強アイテム）をする」と、「どこで何をするのか」が明確に決まるので勉強への集中力が上がり、スムーズに取り組めるようになります。その場所に行けば勉強モードに入れる状態になるのが理想です。

あなたが勉強モードに入れる場所はどこですか？

自習室、カフェ、図書館、勉強部屋……などが一般的ですね。重要なのは自分がすんなり勉強モードに入れる場所で勉強することです。

その1つの基準として、「勉強時間が長い場所」が挙げられます。勉強時間が長い場所＝勉強しやすい場所、勉強への抵抗感が少ない場所です。「ここ」と決めた勉強場所で勉強することです。

もちろん、少し変化球的な場所として、お風呂場、トイレ、電車内、友だちの家などもあります。

- お風呂に入る↓1日の勉強の振り返りをする。
- トイレ↓暗記物を貼り、音読する。
- 電車内↓英単語帳を開き暗記する。
- 友だちの家↓一緒に学校の課題をする。

いずれも「場所×密着」を使用しています。

- お風呂（場所）×1日の勉強（密着）
- トイレ（場所）×暗記物の音読（密着）
- 電車内（場所）×英単語帳（密着）
- 友だちの家（場所）×学校の課題（密着）

お風呂もトイレも電車内も友だちの家も、本来は勉強するところではありませんが、「勉強すること」を目的へと変えることで「場所×密着」は完成します。場所と勉強を密着させることに成功すれば勉強時間は爆上がりします。

ぜひ、「その場所に行けば勉強モードに入れる」という状態を実現してください。

人間（環境）×密着

ここでのゴールは「ある特定の人と勉強する」です。

「勉強仲間」を見つけることはとても重要です。

私は小中高大生、社会人、保護者様が約100名いらっしゃるオンライン塾を運営し、常に勉強仲間がいる環境を実現しています。これはあくまで一例ですが、「人間×密着」とはこういう状態です。

この中では勉強の成果を報告したり、オンライン自習室に入って一緒に勉強したり、勉強に関する相談やアドバイスを交わしたり、わからない問題を教え合ったりしています。全員が見られる状態にしていますので、1人のがんばりが全体に共有され、刺激と影響を与えられる状態になっています。

勉強仲間がいる状態とそうでない状態とでは大きな差になります。なぜなら、人間はたった1人で勉強をがんばることが難しいからです。相当意志が固い人でないとどうしても安易なほうに流れてしまいます。もちろん最終的には1人で勉強しなければなりませんが、その過程には必ず「人」がいるものです。

一緒に勉強をがんばる仲間を、まずは1人見つけてください。これは宿題にしたいくらいやっていただきたいことです。もうすでに勉強仲間がいる場合は何の問題もありません。

私の生徒で学年1位の受験生がいますが、その生徒は塾内に1人競い合っている友だちがいるそうです。勉強を教え合ったり、問題を出し合ったり、テストの勝負をしているとのことでした。これにより、「あの子ががんばっているから自分もがんばろう」という意識が働きます。この意識が勉強する原動力になります。

勉強仲間を見つけることが難しい場合は、学校や塾の先生と関わってもいいですし、授業動画を配信しているＹｏｕＴｕｂｅｒが時々行っているオンライン自習室のような配信に参加するなどでもかまいません。

先ほどの友だちと勉強している生徒以外にも、「家族」と勉強している生徒もいます。

- お父さんと一緒に数学の問題を解いている。
- お母さんにやった勉強の説明をしている。
- お兄さんに勉強を教えてもらっている。
- お姉さんに英語の添削（てんさく）をしてもらっている。

保護者様が本書を読まれているのであれば、「お子様と一緒に勉強すること」はものすごくオススメです。お子様の勉強に対する気持ちがわかりますし、つまずくポイントや苦手な箇所がわかります。それさえわかれば、改善方法をネットで調べたり、先生に聞いてみることで改善の糸口が見えます。

このように、とにかく「人と関わること」です。「環境×密着」の密着は主に勉強アイテム（→50ページ）ですが、「特定の人に密着して一緒に勉強する」という意味も含んでいます。どちらかというと、こちらの意味のほうが強力かもしれません。まわりの人との関わりを大切にしてください。

言葉（環境）×密着──解答根拠

私はこれまで何千人もの生徒の成績を向上させてきました。SNS発信も含めると10万人を超えます。

これだけ多くの生徒や人と関わると、「どういった生徒が伸びるのか？」「どういった生徒が伸びないのか？」が手に取るようにわかるようになりました。

重要なキーワードは「言語化」です。ズバッと言ってしまうと「言語化できる生徒が伸び、言語化できない生徒は伸びない」ということです。言語化とは「問題の解法を言葉で説明すること」を意味します。言語化できないことは、本当の意味で理解していないというのが私の考えです。

先生がなぜ長時間授業ができると思いますか？　それは授業内容を理解し、言語化しているからです。理解していないものを人に説明することはできません。テニスのルールを理解していないのにテニスをすることはできません。理解不足なもの、未知のものを言語化することはできないのです。

もちろん口下手だったり、話すのが苦手という人は中にはいます。私の生徒でもそういう生徒は普通にいます。でも重要なのはそこではありません。

「肝（きも）」がとらえられているかどうか、です。問題や課題の「肝」を押さえておけば、説明下手でも口下手でも何の問題もありません。「この問題の肝は〇〇です」と答えられればいいのです。

「肝」というと馴染（なじ）みのない人もいると思うので別の言葉に言い換えると「ポイント」です。「この問題のポイントは〇〇です」と答えられればいいのです。

さらにそこから「なぜそう考えたのか？」という理由を言語化することも重要です。「この答えは〇〇という理由で△△になる」と言語化できてこその正解です。これを

「解答根拠」と言います。

危険なのは、解答根拠なしに解答したときです。

「何となく書いた」

「感覚でこれかなと思った」

「理由はよくわからないけど雰囲気でこの答え」

伸びづらい人にはこうした特徴があります。なぜなら、言語化できていないので正解するか否かがわからないからです。「当たればラッキー」と、問題を解くことがギャンブルになっています。勉強は、ギャンブルのような勝ち負けが不確定なゲームではなく、正しく解けば勝ちが確定するゲームです。

そのためにも解答根拠を考え続けること。暗記していれば答えられる問題以外は問題から答えまでの過程に解答根拠が存在するので、それを言語化することです。そうすれば自信を持って解答できますし、予想から大きくはずれることなく、安定した点数が獲得できます。

これからの勉強は「言語化できなければ意味がない」という考え方でいちいち「解答根拠を言語化する癖」をつけてください。もし言語化できなければ解答解説をじっくり読んで解答根拠をつかんでください。そして、また自分で解答根拠を言語化する。

伸びる勉強とはこういう勉強です。

言語化は練習することで磨かれます。たくさんの生徒と関わってきて、はじめは言語化が苦手だった生徒も、言語化の練習を繰り返すことで徐々にうまくなりました。そして、点数にも反映され、安定的に高得点を取れるようになりました。

言語化はいつでもどこでもできます。

- ノートなどの紙に書いて言語化する。
- 頭の中で言語化する。
- 口に出して言語化する。

手軽にできて効果絶大。言語化は最強の勉強法とも言えます。

「合ってはいたけど言語化できなかったから不正解」と自分に厳しくすれば言語化することがあたりまえになっていきます。言語化できたときの快感や達成感は計り知れないのでぜひ味わってください。

以上が、常に勉強を言語化して密着させる「言葉×密着」ですが、最後にプラスαの内容として、「勉強前の合言葉を決める」についてお伝えします。

言葉（環境）×密着——合言葉

これも効果絶大です。

スポーツの試合前に円陣を組んで「勝つぞ！」→「おお！」とチームメイトで声を出して、鼓舞し合うのと似ています。試合中の掛け声も同様です。

どういうことかというと、「ある特定の言葉を発するとそのモードに入れる」ということです。

「いただきます」と言えば、ご飯を食べる。

「行ってきます」と言えば、家を出る。

「おやすみ」と言えば、寝る。

このように人間は特定の言葉を発すると、スイッチが入る生き物です。

だから、同じように勉強にも使ってみませんか？

私は生徒に授業するとき、「よしやろか！」と言います。私の合言葉です。これにより授業モードに入れます。

勉強前に合言葉を言う→勉強する

これも「言葉×密着」です。

あなたが考えた勉強前の合言葉で、勉強を開始してみてください。

何度も何度も言っていると、「いただきます➡ご飯を食べる」レベルで勉強できるようになるかもしれません。

以上が、「場所（環境）×密着」「人間（環境）×密着」「言葉（環境）×密着」ですが、これらは2つの組み合わせです。3つ以上を組み合わせたい場合は1つずつ追加してください。

たとえば、「場所（環境）×密着」で「自習室で過去問を2年分解く」と決めたとします。ここに「人間」を追加する場合、「自習室で友だち1人と過去問を2年分解く」のようになります。「場所（環境）×密着×人間（環境）」が実現できました。

さらにこれに「言葉」を加えた場合、「自習室で友だち1人と過去問を2年分解いた後に過去問の解説を言語化しながらお互いに説明、議論し合う」のようになります。「場所（環境）×密着×人間（環境）×言葉（環境）」が実現できました。

このようにそれぞれの要素に内容を当てはめていくことで組み合わせは完成します。

●質問に答えて組み合わせを探る――情熱×達成×環境

情熱を燃やし続けた状態で、何を達成するのか？　そのための環境は？「情熱×達成×環境」の組み合わせです。

ゴールは「達成」です。

その環境に足を踏み入れた瞬間、「達成するまで出られない」と思ってください。イメージは「脱出ゲーム」ですね。ゲームをクリアしないと部屋から出られないのが脱出ゲームですが、これに限りなく近い状況を実現するのが「情熱×達成×環境」です。

私は、夏休みになると受験生全員に塾に来てもらい、1つの教室に閉じ込め、ほぼ毎日、朝から夜まで勉強してもらっていました。今は完全オンラインで生徒と関わっているのでできていませんが、当時は1日12時間くらい勉強してもらいました。ルールは「塾から12時間出られない」「決めた勉強を丸1日かけてする」の2つだけです。

この中では、取り組んだ勉強内容の確認をしたり、テストをしたり、質問対応したり、授業したりしていました。

お気づきでしょうか？「環境」の場所、人間、言葉のすべてがそろっているのです。

- 場所↓塾
- 人間↓まわりの受験生、塾講師
- 言葉↓勉強内容の確認、質問対応

「ただ塾に来て勉強する」だけで環境がすべて整った状態で勉強できるのです。「塾で12時間勉強する」はあくまで「情熱×達成×環境」の例ですが、この例をもとに「自分に合わせた情熱×達成×環境」を実現させるのがここでのテーマです。

次の4つの質問に回答していくだけです。ぜひワーク形式で取り組んでみてください。

①どんな場所で勉強しますか？
②そこで何を達成しますか？
③まわりにはどんな人間がいますか？
④どんな言葉を使っていますか？

4つの質問の答えを具体的に決めることです。物事を具体的にするためには「固有名詞」を多用してください。

①どんな場所で勉強しますか？→○○図書館、○○塾、○○学校、○○の自習室。
②そこで何を達成しますか？→『教材○○』50ページを解答根拠をもって、解き切る。
③まわりにはどんな人間がいますか？→友だちの○○と△△先生がいる。
④どんな言葉を使っていますか？→○○の質問をして解決している。

○○や△△を固有名詞で埋めることで「自分に合わせた情熱×達成×環境」が決まっ

ていきます。

もちろん固有名詞にするのが難しい場合もあります。図書館で勉強するときに普通、まわりの人の名前なんて知りませんよね。

そういう場合は、「図書館にいる人」「勉強をがんばっている人」で大丈夫です。また、①と②の質問には必ず答えていただきたいのですが、自宅で1人で勉強する場合、「③まわりにはどんな人間がいますか？」は「自分だけ」になるので答えられませんし、「④どんな言葉を使っていますか？」は自分1人なのでそもそも会話が発生しません。もちろん音読したり、ぶつぶつ説明すれば、これらを「言葉（環境）」とすることはできます。声にしなくても、解答根拠を言語化してまとめることもできます。そういった意味でも③と④は自分の状況と照らし合わせて使うようにしてください。

ゴールは「○○という場所で、△△を達成する！」と決めることです。あなたの「情熱×達成×環境」を確定させればいいのです。

まずは、「情熱×達成×環境」の組み合わせを1つ決めることが重要です。

最後にものすごく重要で誰にでも当てはまり、実践すべき組み合わせの例を1つお伝えします。

それは「自分にとってのベストな環境で問題集をー冊極めることを達成する」です。環境と問題集を明確に定め、ただ問題集1冊を極めること（達成）に情熱を注ぐ。勉強で結果を出すために必要なことです。

これまで多くの生徒を見てきて感じるのは「これと決めたものがある生徒は結果を出している」という現実です。問題集1つとってもそうです。各教科問題集を1冊に絞り、それを極めることにこだわり、実際に極めている生徒は総じて結果を出しています。勉強計画を立て、常備し、すべて達成している生徒は結果を出しています。

逆に「1つに決めない」「複数を同時並行で回す」という、あれもこれもする生徒は結果を出せていません。

なぜこうなるのかというと、「中途半端になるから」です。やることが増えると集中力が分散します。分散すると完成するまでに時間がかかります。時間がかかるとモチベーションが保てず、結局やめてしまうわけです。

実際にこういう生徒を私は何人も見てきました。そして、そろいもそろって結果を出せていません。

結果を出す生徒は違います。1つに絞り、1つを極める。そして、次の1つに移る。

これを淡々と繰り返しています。よほどのことがない限り、決めれば絶対に変えません。それのみに集中します。だから余計なことに気が散ることなく、質の高い勉強ができます。その場所（環境）ですべてやり切る（達成）まで絶対にあきらめないこと、続けること（情熱）。達成してください。

そのための環境をどこにしますか？　あなたが決めたことを達成する自信を得るための場所です。決まれば、あとは腹を括って飛び込むだけです。

最強の組み合わせ――情熱×密着×達成×環境

情熱を燃やし続けた状態で、何を密着させ、達成するのか？　そのための環境は？　これが最後の組み合わせ「情熱×密着×達成×環境」です。

4大成分をすべて満たした勉強に依存しないわけがない最強の組み合わせです。

私は本書を執筆するにあたり、そして、今も本書の原稿をパソコンに打ち込みながら頭の中でずっと考えていることがあります。

勉強に依存している生徒はどんな生徒か？

SNS発信を通して、数十万人と関わってきた方々の中で勉強に依存している人は、どんなことを考え、行動してきたのか？　情熱、密着、達成、環境を限りなく満たしている人たちは、4大成分をそろいもそろって満たしているのです。

- 勉強でどうしても達成したい理想（目標）があり（情熱）、
- 勉強アイテムを密着させて勉強し続け（密着）、
- 自分が決めた勉強をコツコツ達成し（達成）、
- 自分に合った環境で勉強できている（環境）。

だから当然のごとく、勉強に依存しています。

最後は、4つすべてを組み合わせるだけです。そのために必要なことはたった1つ。
ピースを埋める。
あなたに足りないピースは何ですか？
情熱ですか？　密着ですか？　達成ですか？　環境ですか？

足りない要素を埋める。これが最後にあなたにしていただきたいことです。

そのためには考えねばなりません。考えることを放棄した人の末路は現状維持です。現状維持から脱却し、現状打破する人は考え続けています。何が足りず、どうやってピースを埋めるのか？　足りなければ埋めればいい。ただそれだけです。

ここまでお読みいただいて、あなたの脳内で未来のイメージはできていますか？「これからどう動いていこうか？」と。イメージできないことは、実現できません。情熱・密着・達成・環境のそれぞれのイメージ、実際どう扱い、行動していくのか？

もしイメージができなければ再度、第1章に戻り、読み返してみてください。著者が普通こんなことは言いませんが、ここまで読み進めていただいた「あなた」なので、あえて言わせていただきます。

4大成分とその組み合わせがイメージできた後、第6章をお読みください。

逆に言うと、イメージできていなかったり、内容を忘れていたり、何一つ考え方も行動も変わっていなければ再度戻って読み直してください。

前に前に進めたい気持ちはすごくよくわかります。でも思い出したり、再度復習することは必要です。なぜなら、本書を読み終えればもう本書を読むことはないからです。

本は1回読めば、基本的にはもう読みません。参考書や問題集と違って同じ本を2回も3回も読むことはほとんどないです。だとすれば、読み進める中で思い出したり、復習を入れたり、戻って読み直すことで本の内容を吸収したほうが良くないですか、という話です。

1回読んで本の内容をすべて吸収することなどまず不可能です。だからこそ1回でなるべく吸収するためにも思い出しや、復習、読み直しをすることを提案しています。

1回お読みいただいているので戻って読み直すことはそれほど負担ではないはずです。スラスラ読めるはずです。もし線を引いたり、メモしながら本書をお読みいただいている人がいれば「そこのみを読み返す」でもいいです。

勉強でもそうですが、前に進めば以前やった内容を忘れます。「何やったっけ?」「何を学んだっけ?」となります。そういった意味でも「戻ること」はとても重要です。戻って、内容を思い出し、イメージでき、行動を変えれば、本書をお読みいただいた時間が「価値ある時間」となります。貴重な時間をとっていただいているのです。

本書の内容を実践してください。本は読んで終わりではありません。行動を変え、現実を変えて終わりです。読んでから何をするかです。

今のあなたがすべきことは次の2点です。

- 足りないピースを埋めること。
- その方法を考えること。

情熱も密着も達成も環境もすでにあなたの目の前に転がっています。あとは拾ってピースを埋めるだけです。4つのピースをすべて埋め合わせ、完成させてください。勉強は足りないピースを埋めることの連続です。

できなかった問題、間違えた問題、わからない問題……。すべて足りないピースです。情熱がない、密着がない、達成がない、環境がない。これらも足りないピースです。埋めてください。埋め続けた人だけが最後に気づきます。

「勉強って面白い」

第6章

人格までも改造してしまう進捗記録勉強法

● 記録は点ではなく、線で

第6章以降は具体的な勉強法についてお伝えしていきます。

当然すべて、4大成分を満たした、勉強依存を引き起こすための勉強法です。そしてここから紹介する勉強法は、私がこれまで何百人もの生徒に実践してもらい、結果を出させた勉強法です。ぜひ一緒に実践していきましょう。

1つ目の勉強法は「進捗記録勉強法」です。この勉強法は強力すぎるので、1章分を使ってじっくり解説します。

その前に、まず「勉強記録との違い」について考えてみましょう。

「勉強記録」は「進捗記録」とは違います。ものすごく似ている2つですが、大きな違いが1点だけあります。それは「点になっているか、線になっているか」ということです。

勉強記録：点になっている。

進捗記録：線になっている。

勉強記録は勉強したことを記録するだけなのでそれがどこに向かって、どれくらい進んだのかが見えません。一方、進捗記録は勉強の進み具合を記録するので、自分が今どの段階にいて、「ゴールまであとどれくらいか」がわかります。つまり、取り組んだことの記録が勉強記録であり、取り組んだこと＋ゴールまでの進み具合の記録が進捗記録。

このように勉強記録と進捗記録は大きく違います。

「ゴールはどこなのか」「今どの段階にいるのか」を明確にしないことには、取り組んでいる勉強の現在地と目的地が把握できません。明かりもなく真っ暗な洞窟(どうくつ)を進んでいるようなものです。

「今、自分はどの地点にいて、ゴールまでどれくらいなんだ？」

それがわからないのは精神的にしんどいですよね。人はゴールがはっきりしているからがんばれます。進捗記録はそのための記録です。現時点とゴールを線で結んだ記録が「進捗記録」です。

あなたは勉強計画をつくったり、勉強したことを記録として残したりしているでしょょうか？

ノートやスケジュール帳に記録を残し、勉強されている人はいるかもしれません。

このときにいかに「ゴール」と「進み具合」が記録できているか、あるいは、意識して作成できているかが大切です。

人のモチベーションが持続する大きな要素として「達成感」が挙げられます。達成感とは「前に進んだ感覚」です。人のモチベーションは「ここまで達成した」「ここまで進んだ」という前に、進んだ感覚がないと持続しづらいものです。人がゲームにハマり、依存するのは「レベル」や「ステージ」という、前に進んだ感覚が味わえるからです。ゲームはやれば自動的に達成感が味わえる仕組みになっているからモチベーションが維持できるのです。

であれば勉強も同じように「達成感が味わえる仕組み」にしてやればいいのです。それが進捗記録だということです。

お気づきの方もいるかもしれませんが、進捗記録は、勉強依存を引き起こす4大成分の「達成」を可視化させたアイテムです。常に進捗記録を持ち歩けば「密着」も満たせますし、人に宣言すれば「言葉（環境）」も満たせます。だから、「進捗記録勉強法」は勉強依存を引き起こす勉強法なのです。

ではどうやって記録し、勉強していけばいいのか？

●日々の勉強における「ゴール」を設定する

進捗記録勉強法で最も重要なことは「ゴールを設定すること」です。

ゴールを設定するから「現在地」と「目的地」が明確になり、点と点を線で結んだ勉強ができるようになります。

もちろん最終的なゴールは「○○合格」ですが、そのために必要なことは問題集を極めることです。


問題集を極める→問題集と似た問題が試験で出題される→正解する

この流れで勉強していくことで合格に近づきます。

なのでここでは「○○合格」という目標よりは具体的な「問題集を極めること」、その計画を立て、計画表をもとに進捗管理を細かくしていくことが合格に向かう勉強になります。

日々の勉強におけるゴールの例をあげましょう。

- 問題集を3カ月で5周して極めている。
- 英単語帳を2カ月で4周して極めている。
- 参考書を6カ月で7周して極めている。

このように「期限」と「周回数」を設定します。

ちなみに「極めている」とは「自力ですべての問題の解答根拠が説明でき、解けている状態」です。

あなたが今使用している教材をイメージしてみてください。なんなら目の前に出してみてください。その教材のゴール、つまり「期限」や「周回数」は決まっているでしょうか？　もし決まっていなければ、「いつまでに何周して極めるのか」を決めてみてください。

まずは「周回数」を決めます。教材を見て、「この教材は、あと3周はすべきだな」という感じです。これは「感覚的にこれくらいかな」という数字で問題ありません。もし3周やって、まだ不十分であればもう1周追加すればいいだけです。もし周回数に迷えば、「5周」にしておいてください。多くの生徒を見てきて発見したことですが、教材は「5周」回せば極められることがほとんどです。

周回数が決まれば、次に「期限」を決めますが、ここは計算が必要です。たとえば、「150ページの問題集を5周して極める」としたとします。この場合、150ページ×5周＝合計750ページ取り組むことになります。もしこれを3カ月で完了させる場合、1日あたり750ページ÷90日＝8～9ページ（1日あたり）取り組むことになります。

「うわ、多い！」と感じる場合は期限を長くとってください。逆に「これくらいならいける」という人はこのままでいいですし、「もっといける」という人は「2カ月」に期限を短く設定してください。

先の例の場合（合計750ページ）であれば、1日あたり、

4カ月：７５０ページ÷１２０日＝６～７ページ。
5カ月：７５０ページ÷１５０日＝５ページ。
6カ月：７５０ページ÷１８０日＝４～５ページ。

となります。

こうやって期限を調整して、計算し、「自分が現実的にできる計画」を作成します（表2）。

計画において「現実性」はものすごく重要です。現実的でない計画を立ててしまうと途中で計画が破綻して、挫折しかねません。一度計算し、作成できた計画を見つめ直す時間をとることは、とても大切です。

教材のゴール設定は、「ページ数×周回数÷期限までの日数」で1日のページ数を算出し、現実性を確認する。この作成できた計画をもとにこれから勉強していきます。

あともう1つ。

ゴールは「教材を極めること」ですが、この達成のために、どうしても必要な記録があります。

表2 進捗記録のフォーマットとサンプル

【問題集名】

	全ページ数 ： ページ	▶極める期限 ： カ月	▶極める周回数 ： 周
1周目	/ ～ / (日)	ページ/日	問/ 問(%)
2周目	/ ～ / (日)	ページ/日	問/ 問(%)
3周目	/ ～ / (日)	ページ/日	問/ 問(%)
4周目	/ ～ / (日)	ページ/日	問/ 問(%)
5周目	/ ～ / (日)	ページ/日	問/ 問(%)

↑極める周回数　↑各周回ごとの日付と日数　↑1日あたりのページ数　↑各周回ごとの正解数と正答率

【問題集名】A問題集

	全ページ数 ：150ページ	▶極める期限 ：5カ月	▶極める周回数 ：5周
1周目	9/1～ 9/30(30日)	5ページ/日	230問/500問(46%)
2周目	10/1～10/30(30日)	5ページ/日	300問/500問(60%)
3周目	10/31～11/29(30日)	5ページ/日	390問/500問(78%)
4周目	11/30～12/29(30日)	5ページ/日	450問/500問(90%)
5周目	12/30～ 1/28(30日)	5ページ/日	500問/500問(100%)

●確実に一歩一歩達成するための「週間進捗記録」

1週間の勉強計画を作成し、達成度を記録していくのが「週間進捗記録」です（表3）。

週間進捗記録を作成することで1週間分の勉強が曜日ごとに可視化されるので「いつ何をどれくらいすればいいのか」がひと目でわかります。また記録を続けていくことで自分ができる勉強量や勉強時間が把握できます。それにより時間の使い方がうまくなったり、自分の力量がわかるようになるので計画達成率が上がっていきます。

進捗記録と週間進捗記録は次のように使い分けます。

進捗記録：問題集への取り組みを1カ月〜半年レベルの中長期的な計画に落としこむ。

週間進捗記録：進捗記録で立てた計画を、週単位、そして1日単位に細分化して落とし込む。

たとえば、「8月1日から8月31日の1カ月で4周する」という進捗記録を設定した

表3 週間進捗記録のフォーマットとサンプル

曜日	月曜日		火曜日		水曜日		木曜日	
勉強時間	時間		時間		時間		時間	
勉強内容								
曜日	金曜日		土曜日		日曜日		合計勉強時間	
勉強時間	時間		時間		時間		時間	
勉強内容								

[例]

曜日	月曜日		火曜日		水曜日		木曜日	
勉強時間	3時間		2時間		3時間		2時間	
勉強内容	①100個暗記	45分	①100個暗記	45分	①100個暗記	45分	①100個暗記	45分
	②4ページする	30分	②5ページする	40分	②4ページする	30分	②3ページする	20分
	③3ページする	30分	③2ページする	20分	③3ページする	30分	③2ページする	20分
	④1題解く	15分	④1題解く	15分	④1題解く	15分	④1題解く	15分
	⑤復習&直し	60分	⑤なし		⑤復習&直し	60分	⑤復習&直し	20分
曜日	金曜日		土曜日		日曜日		合計勉強時間	
勉強時間	4時間		10時間		12時間		36時間	
勉強内容	①100個暗記	45分	①500個再暗記	225分	①500個再暗記	225分	1週間のノルマ ①英単語を500個暗記する ②英語の問題集を20ページ ③リスニング教材を15ページ ④英語長文を10題 ⑤1週間の復習&解き直し	
	②4ページする	30分	②解き直し	120分	②解き直し	120分		
	③5ページする	50分	③解き直し	80分	③解き直し	80分		
	④3題解く	45分	④3題解く	45分	④解き直し	130分		
	⑤復習&直し	70分	⑤復習	130分	⑤復習	165分		

とします。次のように週間進捗記録では週単位の細かな計画に落とし込みます。

8月1～7日：1周目
8月15～21日：3周目
8月8～14日：2周目
8月22～31日：4周目

大きなパイやピザを等分に切り分けて食べるように、長期間かけてクリアを目指す目標を、週や日単位に細分化して、地道に、しかし確実に進めていくイメージです。このようにして2つの記録を取り続けることで問題集が徐々に極まっていきます。

作成手順は次の4ステップです。

①1週間のノルマを決める。
②各曜日の勉強時間を決める。
③各曜日にノルマを振っていく。
④ノルマの勉強時間を振っていく。

ここからは例を使って説明していきます。
まずは「1週間のノルマ」を決めます。

1週間のノルマ

- 英単語を500個暗記する。
- 英語の問題集を20ページ進める。
- リスニング教材を15ページ進める。
- 英語長文を10題解く。
- 1週間でやった問題の復習&解き直しをする。

このように「1週間で何をどれだけ達成するのか」を決めてください。決まれば、各曜日の勉強時間を決めます。

月曜日： 3時間
火曜日： 2時間
水曜日： 3時間
木曜日： 2時間
金曜日： 4時間
土曜日： 10時間
日曜日： 12時間

このようにあなたの予定を確認しながら曜日ごとに勉強時間を決めていきます。
次に曜日ごとに「1日のノルマ」を振っていきます。
たとえば、「英語の問題集を20ページ進める」場合、次のように計画立てします。

月曜日：4ページ
火曜日：5ページ
水曜日：4ページ
木曜日：3ページ
金曜日：4ページ
土曜日：解き直し
日曜日：解き直し

こうやって細分化し、「各曜日ごとにどれだけするのか」を決めていきます。あとは同じように他の教科の1週間の勉強ノルマも各曜日ごとにどれだけするのかを決めていきます。
最後は「②各曜日の勉強時間を決める」で設定した合計勉強時間になるようにノルマに時間を振ります。月曜日を例に説明します。

月曜日　3時間

- 英単語を100個暗記する（45分）。
- 英語の問題集を4ページ進める（30分）。
- リスニング教材を3ページ進める（30分）。
- 英語長文を1題解く（15分）。
- やった勉強の解き直しと復習をする（60分）。

この場合、合計時間が3時間になるように時間を設定します。あとは各曜日同じようにして1週間分決めれば完成です。

- 1週間のノルマを達成するために各曜日に何を何分するのかを決める。
- 問題集の計画作成↓その達成のための1週間の計画作成。

この2ステップが完了すれば、最後にすることは「化石化」です。

す。

取り組んだことや成果を「化石化」する

計画が作成できれば、あとはすべて達成できるように徹底的にやりこんでいくだけで

目標は「化石化」です。化石化とは「計画の成果を書き込み、やった跡を残し続けること」を意味します。計画の成果はじゃんじゃん記録し続け、溜めていってください。当然捨ててはいけません。あなたはテストの結果や成績表を捨てないはずです。残しておくことで後々振り返ることができたり、データとして溜めることができるので、今後の勉強の指針を決める際の材料になるからです。

一番重要なことは、書き込みをすることです。ここでの「書き込み」とは、計画の成果を書き込むということです。やった勉強時間や正解数、正答率、点数などです。計画にはどんどん書き込みをしていくべきです。書き込まないと、どこまで進んだのかがわかりません。ゴールまでの達成度合い、進捗確認もできません。これでは進捗記録勉強法になりません。当然達成感も生まれないので勉強依存を引き起こすこともできません。

計画をつくる→実行する→成果を書き込む

この3ステップを回すだけですが、「実行する」「成果を書き込む」がなかなかできません。計画は立てて終わりではありません。実行して、完了させて終わりです。この考え方だけは常に持ち続けなければなりません。

そのためにも4大成分の2つ目「密着」を使用してください。計画は密着させ、常に見ないといけません。ページ数、個数、期限、周回数、制限時間が決まっているので計画通りに進められるように、計画を見る習慣をつけることが重要です。

計画は「地図」です。地図がなければ目的地にはたどり着けません。そして、「今、自分がどの位置にいるのか」を常に確認するようにしてください。書いた計画を実行すれば線で消したり、書き込みをします。先述のように、なるべく自分が行ったことは数値化しておくことで自分の力量がわかります。

計画を立てるうえで自分の力量を知っておくことはとても大切です。なぜなら、自分の力量がわかっていないと、現実的な計画を作成することができないからです。自分の力量を正しく把握していれば、立てた計画を思った通りに進められ、達成することができます。

さらに、自分の力量よりもあえて上のレベルの計画を立てることで実力UPにつながる高度な計画の立て方も習得できます。

結果は記録することです。記録を地層のように積み上げれば「自分データ」が得られます。

- どういうときに何をすることで達成率が上がるのか?
- どんなやり方であればうまく勉強が回るのか?
- 疲れたときにどんな勉強をするのが自分に合っているのか?
- どのタイミングで自分はダラけてしまうのか?
- どうすれば休憩後すぐに勉強に戻ることができるのか?

勉強計画にたくさん書き込みをして汚し、化石化していってください。化石化していくことで、もうやめられなくなっていきます。勉強依存の状態です。

こうなる理由は第7章でじっくりお話しします。
まとめると、「進捗記録勉強法」では、次のような多くのものを手にできます。

- ゴールに向かう「前に進んでいる感覚」が得られる。
- 「自分の力量」を知ることができ、思い通りに計画が回せるようになる。
- 「自分データ」が溜まり、自分に合った勉強方法を確立できる。

やらない理由がない、勉強依存を引き起こす勉強法です。まずは紙とペンを取り出し、計画を書き始めることから開始です。少し自分に厳しくして、「教材の計画と1週間の計画が作成できてからでないと第7章を読まない」というルールで動いてみてください。

本書を徹底活用していただくためです。そして、本書を読みながら勉強依存を引き起こすためです。

第7章

もっと脳汁が出る依存を深める心理テクニック6選

第7章では勉強依存を引き起こすための心理テクニックをご紹介します。

「スマホがやめられない」という依存状態は心がスマホを欲している心理状態です。心が欲すれば依存する。依存と心理は深く関わります。ということは、依存するためには心理の動きを攻略すればいいのです。

そのためには、本章で解説する6つの心理テクニックを習得してください。

もちろんすべて、情熱・密着・達成・環境を満たした勉強法です。

圧倒的な行動力を手に入れる「振れ幅の法則」
——心理テクニック①

「振れ幅の法則」は、人間の行動心理をとらえ、「これで行動しないわけがない」と断言できる最強の心理テクニックです。

振れ幅の法則とは、「〇〇したいという利益」と「△△したくないという損失」の振れ幅の分だけ人の行動力が上がるというものです。人間が行動する理由は「〇〇したいから」か「△△したくないから」かのどちらかしかありません。

ゲームをするのは「レベルを上げたいから」「敵を倒したいから」などという「利益」

と、「友だちに負けたくないから」「このままのレベルは嫌だから」などという「損失」の振れ幅が大きいからするのです。スマホを触るのは「YouTubeを見たいから」「LINEをしたいから」などという「利益」と、「スマホから離れたくないから」「友だちへの返信を放置したくないから」などという「損失」の振れ幅が大きいから触るのです。

習慣的な行動も同じように当てはまります。歯を磨くのは「歯をキレイにしたいから」「清潔感を保ちたいから」などという「利益」と、「このままだと気持ち悪いから」「虫歯になりたくないから」などという「損失」の振れ幅が大きいから磨くのです。

このように人は利益と損失の振れ幅が大きいほど、積極的に行動するのです。

逆にいうと、この振れ幅が小さいと人は行動しません。

「〇〇したいから」という理由も、「△△したくないから」という理由も、両方弱かったり、なかったりしたら、人は行動する意味を見いだせません。

「〇〇したいから」は「＋（プラス）」、「△△したくないから」は「－（マイナス）」です。

仮に「〇〇したいから」が+5、「△△したくないから」がなく0であれば、振れ幅の差は5になり、行動力は5です。一方、「〇〇したいから」が+5、「△△したくないから」が-5であれば、振れ幅の差は10になり、行動力は10です。倍の差です。「△△したくないから」があるかないかで、これだけ差が出るのです。

逆に「○○したい」も「△△したくない」も0であれば、行動力が0なので「何も動かない」ということになります。サッカーにまったく興味がない人は「サッカー」に対して、「○○したい」も「△△したくない」もないのでサッカーをしないというわけです。

「夏休みの宿題」にずっと手をつけず、8月の最終週になってあわててやろうとする心理は、「ヤバイ！　まだ終わってない……。宿題を出さないと先生に怒られる！　怒られたくないからしなければ！」「もし、クラスで自分だけが宿題を提出できなかった、なんてなったら嫌だ！」という損失の振れ幅が急に跳ね上がるから生まれるあるあるの行動です。

すべての行動は「振れ幅の法則」で説明できます。圧倒的な行動力を手に入れるためには「利益」と「損失」の振れ幅を圧倒的に拡大させることです。

そのためには、「勉強」について「○○したい」「△△したくない」を可能な限り、次のような形でたくさんアウトプットする必要があります（図2）。

図2 振れ幅の法則と行動力のイメージ

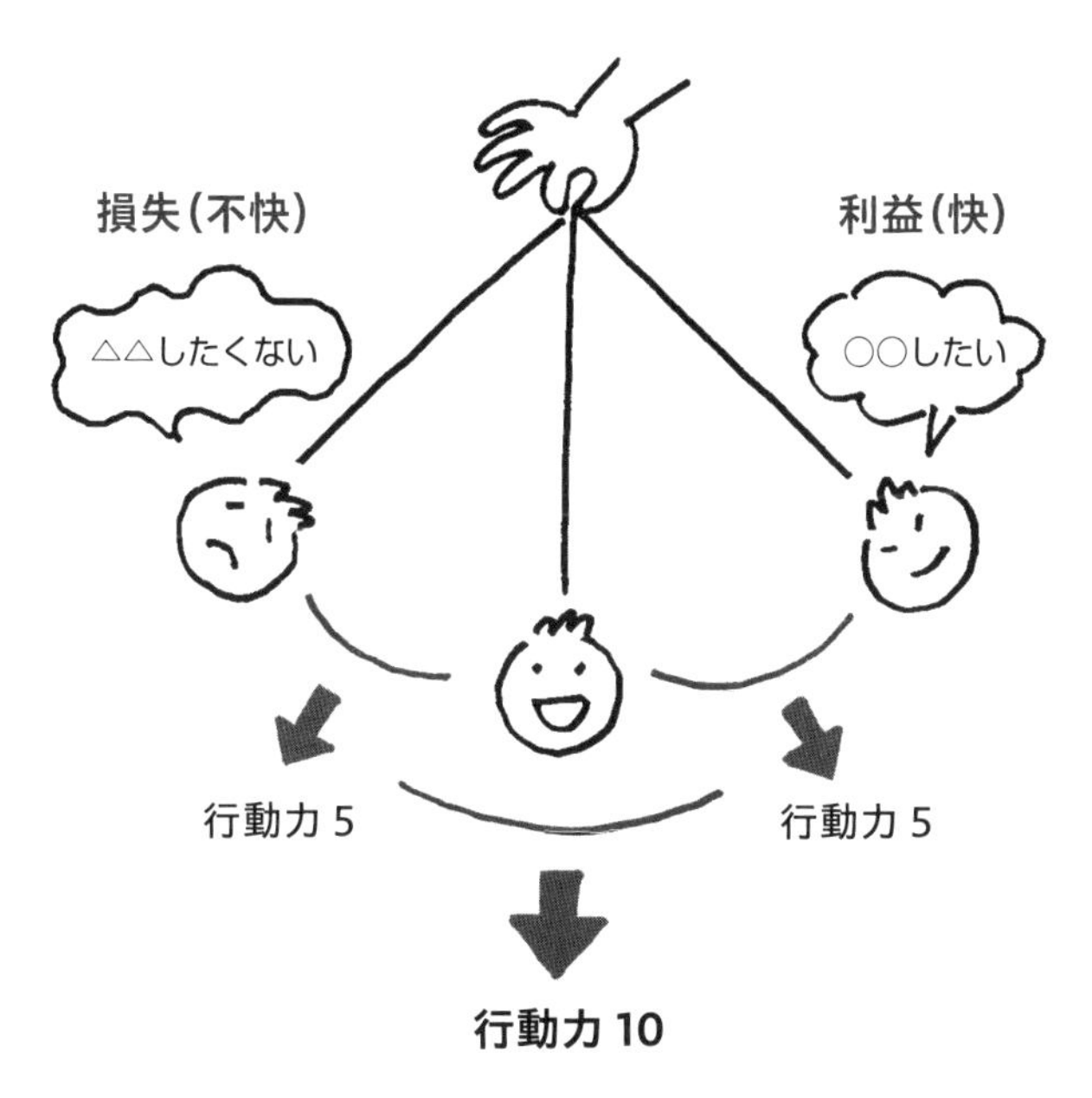

「○○したい」あるいは「△△したくない」だけよりも、
その両方を自覚したほうが行動力が上がる。

外国語の勉強のために自覚した利益と損失

損失
留学して日常会話も
できないような、みじめな
思いをしたくない。

利益
留学までに日常会話を
ある程度マスターして
友だちをつくりたい。

「○○したい」（利益）

- 何としてでも偏差値を10上げたい。
- 第1志望校に合格したい。
- バカにしてきたまわりを見返したい。

「△△したくない」（損失）

- あの子に絶対負けたくない。
- 学年順位10位から落ちたくない。
- まわりからバカにされたくない。

あなたが勉強で得たい「利益」は何ですか？

あなたが勉強で失いたくない「損失」は何ですか？

考える時間をじっくりとり、紙にじゃんじゃん書き出していってください。このワークにより、利益と損失の振れ幅を拡大させるのです。行動の源泉は「情熱」ですが、利益と損失の振れ幅が大きければ大きいほど心が煮えたぎり、行動します。振れ幅の法則により、自分を突き動かしてください。自分を動かすのは自分です。

● 勉強のやる気を不要にする「作業興奮」
――心理テクニック②

次は4大成分「密着」を満たした心理テクニックです。

「やる気がありません。どうすればいいですか？」

ものすごく多い質問の1つです。ズバッと解決策を言います。

作業興奮を使用してください。

作業興奮とは少しの作業で脳が興奮状態になる心理現象です。

「やる気」という言葉をよく見てみてください。

はじめに「やる」。そして「気」です。「やる」から「気」が起こる。これがやる気の仕組みです。これは「作業興奮」にもそっくりそのまま当てはまります。「作業」するから「興奮」する。

言葉遊びのようですが、これは真理です。まず、やり始めなければなりません。作業にとりかからなければなりません。なぜなら、それがやる気の本質だからです。

ただこう言ったとしても「いや、その〝やる〟ができないから困っているんだ！」と思うかもしれません。そういう人は次のことをしてください。

いつでも作業興奮が生み出せるように勉強アイテムを常備しておくのです。つまり、密着させてください。

「やる」ができない大きな理由は「めんどくさいから」です。準備したり、席についたり、勉強机をキレイにして片付けたり、行動に移すまでの工程が多いので「めんどくさい」と感じ、やらない理由を生み出してやらないのです。

そうであれば極限まで「めんどくさい」をなくせばいいだけです。だからこそ、勉強アイテムを密着させるのです。密着させさえすればスッと取り出して、すぐ「やる」につなげられます。

このように作業興奮を発動させるためには「めんどくさい」をなくすことが何より重要です。「めんどくさい」は余計な思考です。余計な思考は行動を制限します。

だからこそ、「めんどくさい」という感情がまだ出ていない思考停止状態で飛び込む。これが作業興奮を引き起こす秘訣です。

思考停止で単語カードをポケットから取り出し、パラパラめくっていれば脳が興奮してきて、単語カードでずっと勉強していけます。

> めんどくさいことをなくす↓思考停止でやる

やり始めさえすればこっちのものです。やれば勝ち、手をつければ勝ちです。

私の生徒からこんなことを言われたことがあります。

「図書館に行きさえすればもう勝ちです」

「図書館に行く」という「やる」が達成できれば作業興奮が働き、勉強し続けられるとのことでした。「図書館に朝行ったら、もう夜まで勉強できます」とも言っていました。

長時間勉強できる人、勉強依存を実現する人は、「はじめ」に最もエネルギーを傾けます。彼らは「はじめ」が最も重要であり、「はじめ」をクリアすれば、あとは自動的に勉強が続くことがわかっているのです。

これからは作業興奮を出しまくってください。そのためには「ちょっとやる習慣」をつくることです。


ちょっと勉強する→作業興奮が働き、勉強できる→休憩する→ちょっと勉強する→作業興奮が働き、勉強できる→休憩する

このようにして、「ちょっと勉強する」を加えます。

「ちょっとやったから3時間勉強できた」

「ちょっとやらなかったからまったく勉強できなかった」

ちょっとやるかどうかでこれだけの差が出てきます。

これが「1カ月、2カ月、3カ月……」と積もり積もれば、どうなると思いますか？

後者は、もう巻き返せません。

「ちょっと」を大切にしてください。ダラダラ勉強してもいいです。1分しか勉強しなくてもいいです。テレビを見ながら勉強してもいいです。方法や手段はどうでもいいのです。

ただやればいい。少しでも作業すればあなたは勝ちます。そして、やる気が不要になります。

●次の勉強を自動化する「ツァイガルニク効果」
―― 心理テクニック③

4大成分「達成」を満たす心理テクニックが、「ツァイガルニク効果」です。
あなたは「アニメ」や「ドラマ」を見ますか？「アニメ24話をイッキ見してしまった……」「Ｎｅｔｆｌｉｘの話題のドラマを第1話から最終話まで夜通し見てしまった」

など、思いがけず膨大な時間を投入したことがある人は少なくないはずです。

これは、アニメやドラマの制作者によって、ツァイガルニク効果を発動させられているからです。ツァイガルニク効果とは、完了した課題よりも完了していない課題のほうが記憶に残ってしまう心理現象のことです。

アニメやドラマを見ていると、続きが気になります。これは「完了していない課題」です。だから記憶に残ってしまい、次も見てしまう……。こうして私たちはまんまと依存状態にされていくのです。

しかし、勉強にこのツァイガルニク効果を利用しない手はありません。あなたみずから、ツァイガルニク効果を生み出すのです。

その方法はたった1つです。あえて勉強を未達成で終えること。

ここで4大成分「達成」の登場です。

たとえば、10ページの課題を進めるときに9ページまで達成すればあと1ページをあえて残し、未達成にするのです。すると、ものすごく気持ち悪くなります。「このラスト1ページを仕上げたい」という欲求が生まれます。それでもあえて未達成のまま終えます。これにより、頭から「あと1ページ」が離れません。すでに依存状態の入り口の前に立っています。

この状態で勉強を終わらせると、次に続きをやるときはすんなり取り組めるようになります。椅子（いす）に座ったら、即勉強。勉強の自動化です。もし「あと1ページ」が「ちょっと」であれば、その「ちょっと」をすれば1つ前で紹介した「作業興奮」も発動させることができます。

「あとちょっと」で終える（ツァイガルニク効果）↓「あとちょっと」をやる（作業興奮）

この組み合わせにより、やる気不要、勉強の自動化が実現できます。

「未達成」「キリが悪い」「気持ち悪さ」「あとちょっと」……、すべてネガティブな印象を受けますが、ツァイガルニク効果を知っていればむしろポジティブにとらえられます。ネガティブなものも、解釈を少し変えただけでポジティブに変換できるものです。ものは使いようです。

みずから積極的に使うようになれば、つまりやり方が変われば、結果が変わります。

さて、あなたはこのまま本書を読み進めますか？

それともあえて中断してツァイガルニク効果を発動させますか？

ツァイガルニク効果を発動させたい人は、次の一文をあえて読まずに本書を閉じてください。

ツァイガルニク効果の上位互換となる方法について、次項で解説します（ここでも本書を閉じればさらに「ツァイガルニク効果」を発動できます）。

●もう勉強から逃れられない「サンクコスト効果」

――心理テクニック④

次は第6章「進捗記録勉強法」の説明でも登場した「サンクコスト効果」です。化石化していくことで（↓150ページ）、勉強依存状態になります。

依存状態を実現するためには、なるべくたくさんのサンクコスト効果を生み出すことです。サンクコスト効果とは今まで積み上げてきたものを手放すことに抵抗感を感じたり、「もったいない」と感じてしまう心理現象です。

たとえば、ゲームであれば「レベルを80まで上げた。あと20上げれば１００で最高レベルになる！」という状態でゲームをやめられますかという話です。ここまで積み上げればもったいなくてまずやめられません。

習い事やスポーツでも同じです。何年もやってきたことを「はい、やめます！」と言って簡単にやめられませんよね。

「もったいないから」「積み上げてきたから」「やめられない理由があるから」……という「理由付け」によりやめられないのです。

進捗記録勉強法の化石化がなぜ依存状態を引き起こすのか？　それは記録し続けてきたことで記録が化石化し、やめるのが「もったいない」という心理になるからです。

「継続は力なり」という言葉があります。「続ければ結果を出せる」という意味ですが、私は「継続は力なり」の裏の意味を「続ければやめられなくなり、結果を出すまで続けてしまう」と解釈しています。それくらいあなたには「理由をつけること」「化石化すること」「続けること」が強力だということをお伝えしたいのです。

ツァイガルニク効果の上位互換が、このサンクコスト効果です。ツァイガルニク効果を蓄積させればサンクコスト効果が発動するからです。

実は、私はあえてここまでの内容を順序立ててお話ししてきました。

振れ幅の法則↓作業興奮↓ツァイガルニク効果↓サンクコスト効果

すべて線でつながっています。

情熱を煮えたぎらせる（振れ幅の法則）↓ちょっとやってみる（作業興奮）↓あえて中途半端なところで止める（ツァイガルニク効果）↓何回も繰り返しやって積み上げ、やめられないようにする（サンクコスト効果）

勉強は積み上げていくものです。積み上げの本質は「地道にコツコツやる」。

何を地道にコツコツやるのか？

「密着と達成」です。

勉強アイテムを密着させ、できるようになったこと、達成したことを増やしていくのです。

これを「記録」として残し、溜めていく。参考書や問題集に書き込んだり、印をつけてもいいでしょう。使い切ったノートやボールペンを溜めていくのもエモいのでオススメです。勉強した証を見える形にして残していくだけで自信にもなります。

こうやってサンクコスト効果は積み上がります。

あなたは「何」を記録し、積み上げますか？

まずは1つ決めてください。

その1つが勉強依存を引き起こすきっかけになります。

無限に勉強が続く「ランクコントロール法」

——心理テクニック⑤

サンクコスト効果とはまったく違うアプローチで勉強依存を引き起こすのが「ランクコントロール法」です。これは勉強内容をランク分けして、使い分ける方法で、たとえば勉強を次のようにランク分けします。

Cランク：やさしい勉強

Bランク：普通の勉強
Aランク：難しい勉強
Sランク：超難しい勉強

自分にとっての難易度設定をするイメージです。

「苦手や得意」「軽いや重い」といった基準で分ければいいでしょう。

勉強内容をランク分けすることで得られる非常に大きなメリットがあります。それは「自分に合った勉強で進められる」ことです。

「自分に合った勉強」についてさらに2つを決めます。

- 勉強する順番。
- 勉強する時間帯。

どの順番でどの時間帯にランク分けした勉強を配置するのが自分に合っているのか？

これを探り、自分に合わせた勉強法がランクコントロール法です。

たとえば、「1日オフの日」であれば、午前中は最も活発に脳が働く時間帯だからランクAの勉強（難しい勉強）とランクSの勉強（超難しい勉強）をする。昼は、疲れも出てくるからランクCの勉強（やさしい勉強）をする。夜は、休憩時間を長めに設定することで回復できるからランクBの勉強（普通の勉強）をする。

このようにランク分けしたものを、「〇〇だから」という理由、順番、時間帯を言語化して、ランクコントロール法を使います。

そのためにも「自分の勉強」について振り返る必要があります。

- この勉強のランクは？
- どの順番で勉強するのが良さそう？
- どの時間帯にどのランクを組み込む？

もしわからなければ暫定の勉強計画を立て、やってみてください。やれば「成功」か「失敗」します。

成功すればそのままそのランクコントロール法を使い続けて、定着させましょう。失敗すれば「うまくいかない方法を知ることができたという意味で成功」ととらえ、順番と時間帯を変更して、またやってみます。成功するまで続ければ自分のランクコントロール法は完成します。

先述（↓144ページ）の「週間進捗記録」の中で立てた勉強計画内の勉強内容をランク分けして、順番と時間帯を決めることもできます。

勉強内容とランクを密着させる。さらに順番と時間帯も密着させる。そして、達成する。ランクコントロール法は4大成分を満たした心理テクニックです。

人が何かに依存するときは「ランクのバランスが取れているとき」です。やさしすぎてもダメ。全部同じくらいのレベルでもダメ。難しすぎてもダメ。ランクは偏らせるのではなく、バランスよく回していくのです。

「自分に合った勉強」ほど勉強依存を引き起こしやすくなります。なぜなら、「自分に合った勉強」が最もやりやすく、やっていて心地良いからです。ランクコントロール法によりこの状態を実現させてください。

●テスト本番で最高の力を発揮する「緊張緩和法」

――心理テクニック⑥

最後の心理テクニックはこれまで使用してこなかった「環境」を最大限利用したテクニックです。それだけでなく「達成」「密着」も入っている最強の心理テクニックです。

このテクニックが使いこなせるようになれば勉強依存を引き起こせるだけでなく、勉強で結果を出すこともできます。勉強時間が爆発的に増え、半永久的に勉強できます。

そんな方法が「緊張緩和法」です。これは緊張感を持った勉強をし、ところどころで緩めた勉強をする方法です。「締める」と「緩む」をうまく切り替えるのですが、ランクコントロール法の応用型でもあります。

ランク分けした勉強に「緊張」、あるいは「緩和」を加えるのです。たとえば、次のような勉強になります。

ランクA（難しい勉強）→テスト形式で時間を計って全教科の過去問を解く（緊張）

この後に、

> ランクC（やさしい勉強）↓昨日まとめたノートをパラパラ見る（緩和）

これが緊張緩和法です。締めた後に緩める。もちろん逆の「緩めた後に締める」でもいいです。意識的に締める勉強と緩める勉強を使い分けるのです。そのためにも「締める（緊張）」と「緩める（緩和）」について深く理解する必要があります。

まず、「緊張」で重要なことは1つだけです。

ストレスを与える。あなたが尻込み（しりご）みするような勉強が「ストレス」です。

- 大量に暗記する。
- 少し難しい問題を解く。
- 時間を計って勉強する。
- テスト本番のように勉強する。
- 苦手教科の勉強をする。

「ちょっと嫌だな」「これはきついな」と感じるような勉強です。

ランクコントロール法のランクA（難しい勉強）やランクS（超難しい勉強）の勉強です。

特にやっていただきたいのは、「テスト本番のように勉強する」です。これを意識的にやっている人は、私が関わってきた生徒たちでもほとんどいませんでした。勉強するときはテスト本番のように勉強してみてください。そのためにも環境を「テスト環境」にする必要があります。４大成分の「環境」です。

テスト本番は次のような環境です。

- まわりは静かで張り詰めている。
- 机にあるのは問題用紙、解答用紙、筆記用具、時計のみ。

この環境をみずからつくり出し、その中でストレスを感じながら勉強するのです。

この勉強法は、受験生であれば受験直前に過去問へ挑戦するので、いずれ多くの人が実践します。そのとき、時間を計ってテスト形式で問題を解きます。ゴールが合格することであれば誰しも「過去問」を解く道をたどりますからね。いずれするのであれば

「もっと早く、今から経験してみませんか？」という提案です。

テスト本番で力が発揮できる人は、テストに向けて圧倒的な準備をした人です。圧倒的な準備をした人は「圧倒的な経験値」を手に入れています。

ストレスレベルの高い勉強、テスト本番に限りなく近い環境で勉強しているのです。

意図的にテスト環境をつくり出し、その中で勉強する時間を増やしてみてください。そうすれば「テスト本番での戦い方」がわかります。

- どの順番で問題を解けばいいのか？
- どの問題を取り、どの問題を捨てるのか？
- どんな時間配分で問題を解くのか？
- 大問ごとに何点取る必要があるか？

これらの課題を1つずつ解決していけばテストで結果を出せます。

緊張やストレスを取り入れた勉強をしてみてください。これを乗り越えればものすごい「達成感」が得られます。「よし！　やり切った！」と。

これが快楽となります。快楽は、次の快楽を生みます。「達成」を経験し続ければし続けるほど「もっと達成したい」となり、快楽が連鎖反応を引き起こします。依存です。緊張やストレスを味方につけてください。それが、依存の一歩目になります。

次に「緩和」。

さすがにずっと緊張状態だと疲れますし、勉強が嫌になりますので緩める必要も出てきます。

まずはあなたに質問です。あなたは勉強後の休憩中、何をしていますか？「漫画を読む」「スマホを見る」「ゲームをする」「お菓子を食べる」「好きな音楽を聴く」「仮眠をとる」「アプリを開いて見る」……。これらは、多くの人の休憩方法だと思います。ただこういった休憩をしてしまったがために、休憩時間が長くなり、気がつけば1時間、2時間と経っていた、という経験は誰しもあるはずです。

こうなってしまう原因を、私は次のように考えています。

勉強に無関係な休憩だから。「休憩」と言われると、多くの人は「勉強から離れ、勉強とはまったく無関係のことをする」と考えるものです。私はこれに疑問を抱きました。

「勉強に無関係なことをするのが休憩なん？　休憩の定義を覆せばいいんじゃない？」

この疑問から生まれた休憩の定義は次の通りです。

休憩＝軽い勉強

「休憩中は勉強に無関係なことをする」の常識を覆し、「休憩中は勉強に関係あることをする。だけど、かなり緩い勉強を」

これが、私が出した結論です。

「休憩＝軽い勉強」が実現できれば、勉強がノンストップで続き、勉強時間が爆発的に増えます。勉強に無関係なスマホやゲームをまったくしないので休憩時間が長くなることもありません。

もう「休憩しすぎた。時間を無駄にした」なんて言うことがなくなるわけです。

緩和、休憩の考え方を変えてください。ストレスレベルの高い緊張感を持った勉強をした後は軽い勉強をし、リフレッシュする。

ストレスがかかる勉強（緊張）→軽い勉強（緩和）

これを1セットにして回し続けます。勉強↓勉強の「密着」です。この間、勉強しかしていません。まさに勉強に依存している状態です。

ただ、ここまでお話しすると必ず「それはしんどすぎます！　どうしてもゲームしたいんですけど、いつならしてもいいんですか？」という質問が出てくると思います。要は、「勉強に無関係な休憩をしてもいいタイミング」ですね。

ズバッと結論を言います。「すべての勉強が終わったとき」です。

「ストレスがかかる勉強（緊張）↓軽い勉強（緩和）」のセットを回し続け、1日の勉強のノルマがすべて終わったタイミングで勉強に無関係な休憩をして、緩和してください。

こうやって休憩を使い分けるのです。

緊張と緩和をうまく使い分けられるかで勉強時間と勉強の質はまったく変わります。

そして、結果もまったく変わります。

緊張と緩和の両方を取り入れ、前に進み続けたとき、人は進化します。

第8章

勉強ジャンキーたちのヤバすぎる勉強法7選

●圧倒的な結果を出す人はみんな変人

最終章では、今すぐに使える勉強依存者だけが実践するヤバイ勉強法を7つご紹介していきます。

当然、これまでお話ししてきた勉強依存を引き起こす4大成分、情熱・密着・達成・環境も盛り込んでいます。

実は、圧倒的な結果を出す人はこれからご紹介するような一見するとかなり変わった勉強をしていることが多いものです。まわりからは理解されないような勉強であることもあります。良い意味で「変人」です。

なぜか？

圧倒的な結果を出す人ほど、誰もやっていないことを平気でやってのけるからです。誰もやっていないからこそ「変人」と思われるのです。でもよくよく考え、深く見ると結果が出せる勉強なのです。

「なるほど、だから結果が出せるんだ！」と思わされるような理屈の通った勉強法です。

「勉強依存」「勉強麻薬」なんて、まさに変人が使う言葉ですよね。

「僕（私）は勉強に依存しています」なんて人がいたら「変人」と思うはずです。そんな本を書いている私も「変人」です。

「変人」を受け入れ、勉強に依存していきましょう。

勉強が楽しくなります。依存しているときは、いつだって誰だって楽しんでいます。

できる問題が爆増する「ポジティブ勉強法」
――ヤバイ勉強法①

これからは次のような勉強をしてみてください。

間違ったら猛烈に喜ぶ。

はい、変人です。ヤバイ人です。

でも「間違ったら猛烈に喜ぶ」という考え方には最も重要な「勉強の本質」があります。

勉強の本質とはできなかった問題をできるように変えること。「×→○」に変えることが結果を出す勉強です。

でも、多くの人は間違えたら萎えます。ガックリ肩を落とします。するとどうなるのか？　勉強する気がなくなります。勉強したくなくなります。集中力もプツンと切れます。そして、間違えた問題を放置します。

こうなると解き直しをしません。こんなことをしていて成績・偏差値が上がることはありません。

すべては「テンション」です。テンションは4大成分「情熱」でもあります。勉強はテンションがとても重要です。

私は授業で生徒を叱咤激励したり、アホみたいな話をしたりします。感情、喜怒哀楽を動かしています。感情も喜怒哀楽もテンションに大きく影響します。だから私はこんなことをして、生徒に対して「勉強する気」を起こしています。

逆に、ネガティブなとき、なかなか勉強する気にはなれません。

でも、だからこそなのです。「修業」と思って、いかにポジティブにとらえられるか、強制的にネガティブをポジティブに変えるというのは、圧倒的結果を出す人の考え方です。

この具体的方法の1つが「間違ったら猛烈に喜ぶ」です。

間違えたら「よっしゃ!」と言って笑ってください。たとえ演技だとしても、無理やりテンションを上げるのです。そして、自分の間違いに興味を持ってください。

「どれどれ、僕(私)は何を間違えた?」とニヤニヤしながら確認してください。

かなりヤバイ人ですが、ここで一時的にテンションを上げています。テンションを上げて興味を持つことで頭に入りやすくなります。こうなると、間違えた問題をできるようにしようという精神状態になります。

「勉強の本質」ですよね。「最速で解き直しに向かう方法」とも言えます。「間違えたら解き直す」は結果を出すうえで絶対に必要です。これを増幅させるためにテンションを無理やりでも上げるのです。

「間違い」は一見ネガティブに思えますが、考え方を変えてください。「間違い」はポジティブ。「間違い」がないと伸びないのです。

高校生が小学1年生の計算ドリルで満点を取りまくっていて伸びますか? 伸びませんよね。「間違い」がないので、そこからの伸びようがないからです。「間違いがないと伸びない」とはこういうことです。

「間違い」を受け入れてください。「間違い」を喜んでください。「間違い」は味方。

「間違い」は伸びるチャンスです。

●忘れること不可避！もう忘れられない「録音勉強法」
——ヤバイ勉強法②

最も簡単に効率的に勉強する方法は何か？

「耳勉（みみべん）」です。

書くことも見ることも不要です。

耳にイヤホンを突っ込んで聴きまくる。

以上です。

あなたが好きな音楽は何ですか？　好きな音楽ほど何度も聴きますよね。何回聴いたかもわからないくらい聴けば、勝手に歌詞を覚えていたり、歌えるようになっています。

それも努力ゼロで。

よく考えれば、これってすごくないですか？　努力を必要とせずに勝手に暗記できる。

これが耳勉です。

耳勉は、寝転びながらいつでもどこでも勉強できます。超簡単に誰でもできます。こここではそんな耳勉「録音勉強法」についてお伝えします。

次の3ステップです。

ステップ1　暗記したい内容をあぶり出す。
ステップ2　録音アプリに吹き込む。
ステップ3　聴きまくる。

まずは「覚えられないこと」「覚えないといけないこと」をあぶり出してください。

そして、「録音アプリ」に自分の声を吹き込みます。

「りんご　apple」のように「問題　答え」となるように吹き込みます。

ここでのポイントは「問題」から「答え」を言うまで少し間を空けるようにすることです。

この意図は「考える時間をつくり、聴きながらテストする」ためです。最終的に暗記事項は1秒以内で即答できるようにならないといけないので、間は1秒くらいにしましょう。

まとめると「問題→（1秒あける）→答え」のように録音アプリに吹き込み、問題を作成するイメージです。この方法でじゃんじゃん録音アプリに吹き込んでください。

ちなみに私がオススメするアプリは「PCM録音」です。私も愛用しています。他の録音アプリよりもぶっちぎりの圧倒的評価を得ているので自信を持ってオススメできます。暗記内容を録音アプリに吹き込めば、あとは好きな曲を聴くように聴きまくるだけです。

録音勉強法は、はっきり言って「誰でも簡単にできる」「恐ろしく効率的である」「勝手に暗記できる」という強力な方法ですが、ほとんどの人はやっていません。もちろんこういう方法を知らないという人がほとんどでしょうが、1つだけ決定的な「やりづらい理由」があります。

自分の声を聞きたくないことです。

私も実践済みなので言えますが、自分の声を聞くのが抵抗感MAXです。

今でこそ私はYouTubeに500本以上動画をあげてきましたが、はじめは自分の声を聞くのにかなり違和感がありました。動画編集を自分でするので、自分の声を聴くわけですが、そのとき「なんやねん！　この声！」と思っていました。とにかく

「自分の声を吹き込んで自分の声を聴き続ける」が意外と最大の壁だったりします（もう勉強とは関係ないですが）。

これは、覚悟を決めて「違和感」を感じながら聴き続けるしかありません。「慣れ＝違和感の蓄積」です。違和感を感じながらもやり続けることで慣れていきます。

スキマ時間や移動中、休み時間などで聴きまくれば「日常が勉強化する」ので勉強時間が爆発的に増えます。

- 耳とイヤホンの「密着」。
- 日常と勉強の「密着」。

4大成分「密着」を活用した勉強法が「録音勉強法」です。

勉強好きになる！好奇心爆発の「ツッコミ勉強法」

——ヤバイ勉強法③

私が授業でよくするのが「ツッコミ勉強法」です。

たとえば、算数の問題で、

問題：太郎くんが忘れ物をして家に急いで取りに帰り……

ツッコミ：太郎くん、忘れんなよな！　何しとんねん！

みたいな感じで問題や文章に対して「ツッコミ」を入れる方法です。

これが効果的なのは「問題文を理解しやすい」という点です。

実はツッコミは、かなり頭を使います。

芸人さん、特にツッコミ役の人は本当に頭が良いと思います。その場の状況判断力、瞬発力、語彙力、声量などツッコミにはさまざまな力が必要だからです。ツッコミ力を磨くだけで頭が良くなるかもしれません。

ツッコむときの流れは「理解する→ツッコむ」です。理解してもいない、理解できないことに対して、ツッコむことはできませんからね。

特にツッコミ勉強法は国語や英語の長文で使えます。登場人物や描写、展開に対してツッコミます。文章は、ストーリーや展開が変わったりするのでツッコミやすいのです。

もう1つ重要な点があります。

それは「ツッコむことで自然と興味関心が芽生える」ということです。実はツッコむときの流れは「理解する↓ツッコむ」に加え、「理解↓興味関心↓ツッコミ」の流れなのです。

その物事を理解し、興味関心が芽生え、ツッコむ。このプロセスで人はツッコミます。ツッコむ前提で勉強するだけで、「理解」と「興味関心」という、勉強していくうえで絶対に必要な要素が手に入ります。「ツッコミ勉強法」は「理解の達成」「興味関心の達成」と4大成分「達成」を満たせるのです。

興味関心がないことに人はツッコミません。

たとえば、テレビをパッとつけてまったく興味がない番組が出てきたら何も言わず真顔でチャンネルを変えますよね。ここで大声張り上げてツッコミなんてしないはずです。

「ツッコむ前提」で問題を解いてみてください。

そうすれば、内容がスラスラ頭に入り、理解が加速します。そして、興味関心を持って勉強できるので勉強内容が定着しやすくなります。

●最高の勉強クオリティを実現する「オタク勉強法」

――ヤバイ勉強法④

私が毎日のようにしている、勉強の質を爆上げする勉強法が「オタク勉強法」です。私の最も重要な仕事は生徒に授業をすること。最高の授業をするために必要なのは「予習」です。

そのために、オタクのように「問題解説方法」を考えます。

これがたまらなく面白いのです。おそらく100人いたら99人は何を言っているのかわからないと思いますが……。

オタクは「1つ」のことにものすごい集中力を発揮して取り組む力があります。そして、その解釈と知識は「深い」。

かなりのパワーがあると思ってください。もしあなたが「勉強するとき、オタクになる」という変人になれば、「勉強の質」は爆上がりします。ぜひオタクを受け入れ、オタクになってください。

「オタク」という言葉に抵抗があるかもしれません。しかし、曲がりなりにもここまで読まれたということは、「勉強依存」という言葉を受け入れてきたはずです。ぜひ、「私は勉強オタクで、そこらのにわかガリ勉には負けない」という気概を持ってください。

ではどうすれば、オタクらしい勉強ができるのか？

「なぜ？」と「どうやって？」を深掘りするのです。問題を解く最中はもちろんのこと、問題を解いた後にも徹底的に「なぜ？」と「どうやって？」を深掘りします。

「なぜ？」を自問自答して解決していく。

「どうやって？」を連呼して「解き方」をすべて理解し、覚える。

「なぜ？」も「どうやって？」も言葉を扱うのでオタク勉強法は、4大成分「環境」の「言葉」を使用しています。オタクは抜かりありません。すべてを淀(よど)みなく、スラスラ説明できます。このレベルになるまで徹底的に思考して時間をかけて考えます。

ほとんどの人の勉強は「非オタク勉強法」です。だから「形だけの勉強」になることが多く、忘れやすく、脆(もろ)い知識となります。

「オタク勉強法」は違います。「中身の詰まった勉強」で忘れづらく、堅い知識となります。

これは継続した人にしかわかりませんが、勉強することにハマり込みます。なぜならす。

「疑問を解決すること」「過程を押さえること」がたまらなく面白いことに気づくからです。

こうなれば、他の何より「勉強」を優先するので自動的に勉強時間が増えます。勉強時間を増やそうと思えば早い話、勉強にハマればいいのです。まさに「依存状態」。

まずは問題を解きながら「なぜ?」と「どうやって?」を考えながら解く癖をつけてみてください。そのとき、「なぜ?」と「どうやって?」がわからなければ解説をじっくり読んだり、解説動画を調べたり、先生に聞くなりして必ず解決してください。「なぜ?」と「どうやって?」を解決し続ける勉強をすればするほどあなたの勉強は濃く、深くなります。そして、そういう勉強が「応用が効く勉強」です。

なぜなら応用問題は総じて、さまざまな基礎が絡み合い、濃く、深い知識と思考力を必要とするからです。

「オタク勉強法」を極めることで爆発的な伸びは十分期待できます。

私の生徒には学年1位を取る生徒がゴロゴロいますが、彼らは総じて、勉強の質が高く、オタク勉強法か、それにかなり近い勉強をしています。つまり、結果を出す人が例外なくしている勉強法とも言えるのが「オタク勉強法」なのです。

早速オタク勉強法を取り入れ、「なぜ?」と「どうやって?」を解決しまくり、勉強を楽しんでください。

勉強のハードルを爆下げする「ゴロゴロ勉強法」
——ヤバイ勉強法⑤

本書を今、ゴロゴロしながら読んでいる人へ。

それです。その姿勢のままゴロゴロ勉強してください。

「ゴロゴロ勉強法」をするのは「やる気が出ないとき」に効果的です。

あなたにも経験があるかもしれませんが、「マジで勉強やる気しねえ……」という瞬間ってありますよね。今このタイミングかもしれません。

「やる気しねえ……」という感情を、もう少し丁寧に表現すると、「ああ、椅子に座って教材を開いてペンを持って2ページの宿題をやらないといけないな」みたいな感じでしょうか。でも、これらの行動を全部、ぜ~んぶ捨ててください。椅子に座りません、教材を開きません、2ページの宿題もしません。

椅子に座らず、ソファでゴロゴロしながら教材を持つだけです。2ページの宿題のことなんて1ミリも考えません。つまり、今あなたは次のような状態です。

ソファで教材を持ってゴロゴロしてるだけ。普通、こんな人いませんよね。変人です。でもこれでいいのです。なぜなら何もしないよりは少しでも勉強に触れられれば勉強にスッと入れるからです。

多くの人は真面目すぎかつ、勉強に対するハードルが高すぎます。

「勉強机でしなければ」
「早く勉強しなければ」
「2ページの宿題をしなければ」
「○○をしなければ」が行動を制限します。「勉強をしなければならない」よりは「ゴロゴロしながらでも勉強するか」のほうが、ずっとハードルが低いです。

同じ勉強でも考え方を変えるだけで行動するハードルの高さを変えられ、実際行動できます。みずからハードルを上げて勉強できないよりはハードルを下げて少しでも勉強したほうがいいですよね。

ゴロゴロしながら教材を持つ↓「ちょっと開いてみるか」となる↓あわせ

てペンも持つ↓「1問でも解いてみるか」となる↓解き出したらはかどってくる↓いつの間にか椅子に座る↓本格的に勉強を開始しだす

「ゴロゴロ」「ちょっと」「1問」。すべて「不真面目」でハードルが低く、取り組みやすいのです。でもこれが大切なのです。なぜなら「勉強」は少しやり出したら止まらなくなりどんどん勉強していける性質があるからです。

これは第7章でお話しした「作業興奮」ですね。作業興奮は「勉強アイテムを密着させる」という4大成分「密着」を使用しました。なのでゴロゴロ勉強法も「密着」を使用します。

「ゴロゴロ」なので床やソファ、ベッドに密着し、同時に勉強アイテムも密着させるイメージです。

ということで作業興奮を応用した勉強法が「ゴロゴロ勉強法」です。

「数分の勉強」を大切にしてください。この数分はとても貴重な数分です。作業興奮が発動すれば数分が雪だるま式に膨れ上がって数十分、数時間へと増えていきます。

勉強のハードルを下げ、スムーズに勉強する第一歩は「ゴロゴロする」です。

●スマホ依存を勉強依存に変える「撮影勉強法」
――ヤバイ勉強法⑥

人が集中するタイミングの1つとして「誰かに監視されているとき」があげられます。「テスト中」とかそうですよね。

試験監督官やテストを受けているまわりの「目」があるので、否が応でもやらないといけないので集中できます。つまり、この「目」を用意しさえすれば、「あなたは強制的に集中して勉強できる」というわけです。

やることはたった1つです。「目」を「スマホ」にする。

スマホで「自分が勉強している姿」を撮影することで誰かに見られてる感を出すことができます（図3）。これはやってみるとわかりますが、はじめはスマホが気になり、本当に「見られてる感」が出ます。

さらに、大きなメリットもあります。

あなたが勉強に集中できない原因は何でしょうか？　いろいろあると思いますが、その中でも、多くの人が「これ」に悩まされているのではないでしょうか。

図3　スマホを勉強の邪魔者から監視役やパートナーに

- 見られることで緊張感が増し、集中できる。
- スマホを触る無駄な時間が減る。
- 録画した自分の姿を見て達成感を得られる。
- YouTuberのように解説しながら勉強すると吸収力がアップ。
- 撮影した動画を見返すだけで復習になる。…etc.

「スマホ」

「撮影勉強法」を取り入れると、勉強の大敵「スマホ」を制限することができます。スマホで撮影しているのでスマホに触れられないですからね。スマホを触ることが強制的に禁止されるので、「スマホを触らない時間」を「勉強時間」に変えられるわけです。

「撮影勉強法」はスマホ依存を勉強依存に変える勉強法です。

ちなみにですが、カメラの「タイムラプス（低速度撮影）機能」で撮影しながらすると長時間動画を短時間に圧縮でき、あとで高速で確認できます。6時間の勉強をおおよそ20秒くらいに短縮できます。タイムラプスにより自分の勉強した姿が「記録」として目に見えた形で残り、数秒、数十秒で確認できるのでものすごく達成感があります。

4大成分の「達成」ですね。

私の生徒にも「タイムラプス勉強法」を積極的に活用してもらっています。

実際に使った感想は次の通りです。

- スマホがまったく使えないので「これはやるしかない」と思えるようになりました。
- なかなか集中できなかったのでやってみました！　めちゃくちゃ集中できたのでまたやります！
- 朝、勉強に使用しましたが、かなり進み、効果がありました！

やって効果を感じた生徒が非常に多いことがわかったので、ぜひ試してみてください。

プラスαとして、「撮影しながら問題の解説をしてみる」という方法もオススメです。撮影しながらスマホに向かって、誰かに教えるつもりで話します。映像授業の先生や解説系YouTuberのようなイメージです。

「間違えて解き直した問題」でも「やっと理解した問題」でもいいので、説明を要する問題に対して使うと一撃で定着することがあります。なぜなら、自分の言葉で説明したことほど記憶に残るからです。友だちに自分の考えを話したり、誰かに何かを説明した内容ほどよく覚えていますよね。この感覚です。

誰にも見られず、1人でもできるのでそこまで身構えず、リラックスして使ってみてください。あとで撮影した動画を見返すだけでも「復習」になります。

「何度も撮影した動画を見る」ことで、「何度も復習できる」のでどんどん定着していきますね。

先ほどの「ゴロゴロ勉強法」と組み合わせ、「ゴロゴロしながら撮影した動画を見返す」と勉強のハードルを下げて、さらに復習もできるので効率的です。

●授業を全吸収する「書き殴り勉強法」――ヤバイ勉強法⑦

最後は私が高校生のときに実践していた「書き殴り勉強法」です。集中力が爆上がりし、一瞬で暗記できたヤバイ勉強法です。

やることはたった1つ。

授業中、先生がしゃべったことをすべて書き殴る。

4大成分の情熱・密着・達成・環境を使用します。情熱は、「全部書き殴ってやる！」という熱い想い。密着は、ノートとペンと先生。達成は、書き殴り終わったときの達成感。環境は、授業中の先生の解説。書き殴り勉強法は先生が話したことをノートやルーズリーフにガンガン手を動かして書き殴っていく勉強法です。

これが良い理由は3つあります。

①先生の話に集中できるから。
②情報処理能力が上がるから。
③理解が加速し、一気に暗記できるから。

順番に解説していきます。

①先生の話に集中できるから

意識することは「先生の話を書き殴る」なので当然、先生が話すことに集中しないといけません。話す速度と同じ速度で書かないといけないのでものすごいスピードで書いていくことになります。一瞬でも気を抜くと先生の話に置いていかれ、書けなくなります。だからものすごく集中力が上がります。

私は「先生の板書」はノートの左ページ、「先生のしゃべり」は右ページと使い分けて書いていました。

ノートに書く場所と内容をあらかじめ固定化しておくことで「どこに何を書こうか」という余計な思考がカットできるのでスムーズにノート作成できます。

また左ページの板書のわかりにくいところは、右ページを見れば再度理解しなおせるので復習しやすいノートになっていました。

あとはテクニック的な使い方として、「左ページに書く量を少なくし、右ページに書く量を多くする」という方法があります。これは、左ページはキーワードのみにし、その解説や先生のしゃべりを右ページにガンガン書いていくというノートの取り方です。

こうすることで左ページが問題、右ページが先生の解説や答えが書かれるので、ノートが教材になり、授業全体が「問題」になるノートが作成できます。このノートを復習し、完璧にしさえすれば授業が完全定着するのでまさに最強のノートといえます。

②情報処理能力が上がるから

先生の話を聞いた瞬間に書き殴るので「先生の話を聞く」から「書き殴る」までの時間がものすごく短くなります。したがって、情報を受け取ってから即理解し、書き殴るので情報処理能力がぶち上がります。

他にも「書くスピード」や「反応速度」が上がります。「書くスピード」が上がるのは先生の話を聞きながら書き殴るのでものすごい速度で書いていくからです。「反応速度」が上がるのは先生の話に即反応して即書くからです。

この書き殴り勉強法だけで「情報処理能力」「書くスピード」「反応速度」といった勉強に欠かせない要素が一気に手に入ります。

本当にやらない理由ゼロの勉強法です。

③理解が加速し、一気に暗記できるから

「とはいっても、ただ聞いて書くだけだからあまり頭に入っていないのでは？」

こう思われる人はいると思います。でも意外なことにそんなことはありません。なぜなら「書き方に少し工夫を加えてやればいいから」です。

「書き殴っている姿」を想像してみてください。すべての話を書くのが面倒くさくなってきます。たとえば、「漢字の多い歴史の授業」であれば、画数の多い漢字をすべて書き殴るわけにはいきませんよね。

そこで、少しでも効率化します。具体的には、「文字を省略する」「ひらがなで書く」「記号を使う」「図や絵を書く」を使います。

例を挙げます。

文字を省略する：「～です」「～ます」などは省略。
ひらがなで書く：鎌倉幕府を「かまくらばくふ」と書く（実際やってみたら3倍速く書けました）。
記号を使う：?、↓、※、○、×……など。
図や絵にする：自分なりに先生のしゃべったことを図や絵にする。

このように「ちょっとでも書く量を減らす工夫」をすることで先生の話を短時間で書き殴れます。これらの工夫は自分の頭を使って考えながら書き殴らないとできません。つまり、すごく頭を使うのです。

特に最後4つ目の「図や絵にする」は、「先生の授業のポイントは？」「何がどうなった？」「どんな因果関係？」「どんな論理構造？」というのがパッと目に見える形になるので授業内容の理解度が格段に上がります。

自分から進んで図にまとめたり、要点を絵にして整理するといった「積極的な勉強」は「アクティブラーニング」と呼ばれます。数十年の実証データからも「効果が高い勉強法はアクティブラーニングの要素を含む」とされています。

また「絵にすること」についてはカナダのウォータールー大学の研究でも「物事を覚えようとするときは、その対象物の絵を書くことが効果的だ」と明らかにされています。図や絵を多用することで「書き殴り勉強法」の質を高めてください。

これからの勉強に革命が起こるはずです。

海外塾講師ヒラ

授業オタクの現役塾講師。
どれだけ勉強してもまったく偏差値が上がらなかったほど、学生時代は勉強が苦手だった。しかし塾講師になり、生徒を指導する中で勉強法を編み出し、生徒の成績・偏差値を爆発的に上げることに成功。そうした経験とその後の探求の成果もあり、誰もが偏差値70を超えられる勉強法を確立。これまで約1000人もの生徒を直接指導し、YouTubeをメイン媒体としたSNS発信を続けるなど10年以上にわたって塾講師として活動している。YouTubeでは小中高生向けの勉強法を解説した動画がメインだが、数割を占める社会人の視聴者から勉強法の書籍化のリクエストが多かったことで、本書を執筆することになった。

勉強嫌いでもドハマりする
勉強麻薬

2023年9月13日 初版発行
2024年4月11日 7刷発行

著者 **海外塾講師ヒラ**
発行者 **太田 宏**
発行所 **フォレスト出版株式会社**
〒162-0824
東京都新宿区揚場町2-18白宝ビル7F
電話 03-5229-5750（営業）
03-5229-5757（編集）
URL http://www.forestpub.co.jp

印刷・製本 **萩原印刷株式会社**

ISBN 978-4-86680-205-3 Printed in Japan